BORDERLINE
CRIANÇA INTERROMPIDA – ADULTO BORDERLINE

TATY ADES | DR. EDUARDO FERREIRA SANTOS

BORDERLINE
CRIANÇA INTERROMPIDA – ADULTO BORDERLINE

© Publicado em 2012 pela Editora Isis.

Supervisor geral: Gustavo L. Caballero
Revisão de textos: Jiuliana Rizutto
Capa e diagramação: Décio Lopes

DADOS DE CATALOGAÇÃO DA PUBLICAÇÃO

ADES, Taty | SANTOS, Dr. Eduardo Ferreira

Borderline: criança interrompida – adulto borderline / Taty Ades | Dr. Eduardo Ferreira Santos | 3ª edição | São Paulo, SP | Editora Isis, 2019.

ISBN: 978-85-88886-95-7

1. Psicologia 2. Borderline 3. Velas I. Título.

Proibida a reprodução total ou parcial desta obra, de qualquer forma ou por qualquer meio seja eletrônico ou mecânico, inclusive por meio de processos xerográficos, incluindo ainda o uso da internet sem a permissão expressa da Editora Isis, na pessoa de seu editor (Lei nº 9.610, de 19.02.1998).

Direitos exclusivos reservados para Editora Isis.

EDITORA ISIS
www.editoraisis.com.br
contato@editoraisis.com.br

Agradecimentos:

Agradecemos às pessoas que se comprometem a ajudar ao próximo como propósito de vida, aos profissionais de saúde envolvidos na gestação da obra, como à psicanalista Dorli Kamkhagi, à psicóloga Lia Ades Gabbay, à socióloga Nora Dalva e a todos os portadores do transtorno Borderline pela sua disposição e esforço em nos conceder tantas entrevistas.

Taty Ades e Dr Eduardo Ferreira Santos

Em Memória de:

Cesar Ades, pai e pesquisador.

Taty Ades

Sumário

A Criança Interrompida – O Adulto Borderline 9

Explicando o Transtorno Borderline: CID-10 23

O Mundo Preto e Branco do Borderline 27

Relacionamentos Tempestuosos 29

Etiologia 33

Psicodinâmica – O Borderline No Divã 35

Comparação com outras Doenças 47

Explicando os Critérios do TBP 53

Comunicando com o Borderline 61

Reconhecendo Borderline em Amigos e Conhecidos 69

Separação e Abuso Infantil 75

O Trauma do Abuso Infantil 77

O Depoimento de Lilith D. 79

Como Previnir o TBP em nossas Crianças? 87

Envolvimento Emocional com um Borderline 91

O Homem dos Lobos – Freud e o TPB. 95

Medicação para Controle da Doença 123

Referências Bibliográficas 125

A Criança Interrompida
– O Adulto Borderline

No fim do século passado, o transtorno de personalidade borderline estabeleceu-se como uma categoria importante na psicopatologia. Emergiu dentro da abordagem psicanalítica e conquistou em poucas décadas um lugar importante na classificação psiquiátrica oficial.

No início, a maioria das pesquisas psicanalíticas consideravam duas grandes categorias: "neurose" e "psicose". Gradualmente começou a ficar evidente um grupo de pessoas que não se conformavam a esta dicotomia, e que não obtinha melhoras com a psicanálise clássica. Eram indivíduos que apresentavam sintomas neuróticos, mas que numa análise apurada, não se encaixavam neste diagnóstico. Adolf Stern foi o primeiro que descreveu formalmente este grupo sob o nome de personalidade borderline, em 1938, nos Estados Unidos.

O termo borderline foi usado por muitos anos depois disso na descrição de pacientes que, embora tivessem problemas sérios de funcionamento, não se encaixavam em outras categorias diagnósticas e eram difíceis de tratar com métodos analíticos convencionais. Muitos consideravam pacientes borderline como sendo o limite entre a neurose e a psicose. Outros entre a esquizofrenia e a não esquizofrenia, ou entre o normal e o anormal. Com o passar dos anos o termo borderline evoluiu na comunidade psicanalítica para se referir a uma determinada estrutura de organização da personalidade e a um nível intermediário de gravidade e funcionamento. O conceito de organização de personalidade borderline foi introduzido por Otto Kernberg, em 1975.

Diversos outros sistemas conceituais propuseram-se a organizar as síndromes comportamentais e teorias etiológicas associadas ao termo borderline. Os sintomas e comportamentos associados à personalidade borderline foram se tornando mais amplamente reconhecidos.

Várias tentativas de melhor os descrever na nosologia psiquiátrica foram propostas. Entre tais tentativas, nos anos 60 e 70, com o foco nas experiências transitórias que tais indivíduos têm, com características psicóticas, os borderline foram colocados no mesmo espectro da esquizofrenia. Nos anos 80, com o foco no humor disfórico crônico e na labilidade afetiva, os borderline foram situados no espectro dos transtornos afetivos. Nos anos 90, a personalidade borderline foi situada no espectro dos transtornos do impulso, ou seja, tida como um transtorno relacionado aos transtornos de uso de substâncias, ao transtorno antissocial e, talvez, aos transtornos alimentares. Deste ponto de vista, o transtorno de personalidade borderline não é visto como uma forma atípica desses outros transtornos, e sim como uma forma específica de transtorno de personalidade que compartilha com eles a propensão para a ação. Durante o final dos anos 80 e início dos 90, vários estudos encontraram uma alta taxa de TPB em sobreviventes de abuso sexual infantil. Foi proposto, então, que se considerasse tal transtorno como parte do espectro dos transtornos provenientes de traumas, como o transtorno de estresse pós traumático e transtornos dissociativos.

Apesar dessas diferentes visões, hoje o TPB é um diagnóstico bem estabelecido. As características que hoje definem o TPB foram descritas por Gunderson e Kolb em 1978, e desde então têm sido incorporadas nas classificações psiquiátricas contemporâneas. É, inclusive, o transtorno do eixo II melhor validado, ficando atrás apenas do transtorno de personalidade antissocial. De um conceito questionado nas margens da nosologia, transformou-se num diagnóstico que, sustentado pela autoridade do DSM, se aplica a uma percentagem importante da população psiquiátrica: é o transtorno de personalidade encontrado com maior frequência na prática clínica e aquele que traz as taxas de suicídio consumado e de tentativa de suicídio mais elevadas entre seus portadores.

Sua prevalência é estimada em 2% da população em geral, em 10% dos pacientes em clínicas psiquiátricas e em 20% dos pacientes psiquiátricos internados. Cerca de 30 a 60% de pacientes diagnosticados com Transtornos de Personalidade são Borderline. O diagnóstico de TPB é predominante na população feminina, o que corresponde a 75% dos casos.

Segundo o Manual Diagnóstico e Estatístico de Transtornos Mentais, o DSM IV, o TPB seria um padrão invasivo de instabilidade dos relacionamentos interpessoais, auto-imagem e afetos e acentuada impulsividade, que começa no início da idade adulta e está presente em uma variedade de contextos, como indicado por cinco (ou mais) dos seguintes critérios:

1. Esforços frenéticos para evitar um abandono real ou imaginado. Nota: Não incluir comportamento suicida ou automutilante, coberto no Critério 5.
2. Um padrão de relacionamentos interpessoais instáveis e intensos, caracterizado pela alternância entre extremos de idealização e desvalorização.
3. Perturbação da identidade: instabilidade acentuada e resistente da auto-imagem ou do sentimento de self.
4. Impulsividade em pelo menos duas áreas potencialmente prejudiciais à própria pessoa (por ex., gastos financeiros, sexo, abuso de substâncias, direção imprudente, comer compulsivamente). Nota: Não incluir comportamento suicida ou automutilante, coberto no Critério 5.
5. Recorrência de comportamento, gestos ou ameaças suicidas ou de comportamento automutilante.
6. Instabilidade afetiva devido a uma acentuada reatividade do humor (por ex., episódios de intensa disforia, irritabilidade ou ansiedade geralmente durante algumas horas e apenas raramente mais de alguns dias).

7. Sentimentos crônicos de vazio.
8. Raiva inadequada e intensa ou dificuldade em controlar a raiva (por ex., demonstrações frequentes de irritação, raiva constante, lutas corporais recorrentes).
9. Ideação paranóide transitória e relacionada ao estresse ou severos sintomas dissociativos.

I.

O TPB é cinco vezes mais frequente entre parentes biológicos em primeiro grau dos indivíduos que têm o transtorno do que na população em geral. Há também um risco familiar aumentado para Transtornos Relacionados a Substâncias, Transtornos de Personalidade Anti-Social e Transtornos do Humor.

Geralmente apresenta-se no início da fase adulta, trazendo grande instabilidade emocional, descontrole dos impulsos e risco de suicídio bastante aumentado, o qual tende a diminuir com o avanço da idade. Frequentemente tal transtorno coocorre com Transtornos do Humor e com Transtornos da Alimentação (principalmente Bulimia). Concomitantes comuns também são o Transtorno de Estresse Pós-Traumático, o Transtorno de Déficit de Atenção/ Hiperatividade e outros Transtornos da Personalidade.

Como se pode ver, o TPB é uma condição heterogênea e seus sintomas se sobrepõem àqueles de transtornos depressivo, esquizofrênico, impulsivo, dissociativo e de identidade. Juntamente com a presença de comorbidades, tal fato dificulta bastante a identificação do transtorno na prática clínica. A principal diferença entre os sintomas básicos do TPB e as outras condições é a flutuação e a variabilidade dos mesmos. Assim, no TPB sintomas psicóticos e paranóides são apenas transitórios, os sintomas depressivos mudam drasticamente de momento a momento, as ideias suicidas podem ser intensas e insuportáveis, mas apenas por um curto período de tempo, as dúvidas a respeito da identidade vêm e vão. Para cada uma das condições comórbidas equivalentes, há muito mais consistência destes sintomas.

Há evidências de melhora do quadro com intervenções apropriadas, com 50% das pessoas não mais atingindo os critérios de TPB de 5 a 10 anos após o primeiro diagnóstico. Não se pode afirmar com certeza, porém, de que tal curso seja devido ao tratamento proporcionado, já que se sabe que entre 30 e 40 anos de idade a tendência dos indivíduos borderline é de atingirem maior estabilidade nos relacionamentos e na vida profissional. Muitos, então, já não preenchem mais os critérios para TPB.

São comuns os fracassos terapêuticos. Os indivíduos com diagnóstico de TPB representam um grande desafio para tratamento, já que a disfunção inicial pode ser extrema e a melhora clínica significativa é, em geral, lenta. A relação com o profissional de saúde mental e a adesão ao processo de cuidados é difícil. Tais pacientes costumam ser imprevisíveis e se aproximam ou se afastam excessivamente na relação com o profissional, causando reações que oscilam entre rejeição e sedução. Muitos terapeutas se sentem inadequados ou sobrecarregados. É dado que as intervenções psicossociais são fundamentais desde o início.

2.

O indivíduo borderline vive uma quantidade excessiva de crises, estressores ambientais, relacionamentos interpessoais problemáticos, situações ocupacionais difíceis. Fica realmente complicado para ele desfrutar ou encontrar significado na vida. Além disso, seus padrões habituais de comportamento disfuncional criam seu próprio estresse e interferem em suas chances de melhorar e de ser feliz.

Podemos dizer que o TPB é, sobretudo, um transtorno do sistema de regulação emocional. Os indivíduos borderline apresentam a incapacidade de inibir atos desadaptativos e dependentes do humor. Há, nesses indivíduos, uma marcante vulnerabilidade emocional, além de uma deficiência no que chamamos de modulação emocional.

São indivíduos bastante reativos a pequenos estressores, ou seja, o limiar para o surgimento das emoções é baixo, e eles reagem rapidamente e de formas exageradas e intensas. Apresentam instabilidade afetiva, muitos altos e baixos, oscilando drasticamente entre emoções opostas. Isso é particularmente importante na experiência dessas pessoas no que diz respeito a situações que causam frustração e/ou rejeição, e é muito frequente um grande exagero nas reações de raiva, o que causaria alguma irritação na maioria das pessoas, pode causar fúria no borderline. Além disso, é comum que o retorno ao nível emocional basal seja lento, isto é, as reações emocionais são percebidas como duradouras. O quadro emocional das pessoas com TPB pode ser caracterizado, então, como um quadro de experiências afetivas aversivas crônicas.

O humor disfórico básico dos indivíduos com TPB é atravessado por rompantes de raiva, pânico ou desespero, e raramente é aliviado por períodos de bem estar ou satisfação.

Vivências de angústia, ansiedade, irritabilidade e depressão são comuns. Sentimentos crônicos de vazio e de solidão, juntamente com o temor que eles trazem, motivam os indivíduos borderline a vários comportamentos na busca de um "algo mais", sempre faltante. Vítimas de insatisfação permanente, o prazer de se ter realizado algo é inalcançável, mesmo quando o objetivo é, sim, atingido.

De forma vinculada à intolerância à solidão, apresentam imenso temor de abandono, e reagem a situações de abandono real ou imaginário, ou mesmo a separações momentâneas, de forma desestruturante. Ou seja, nessas ocasiões há importantes alterações na auto-imagem, no afeto, na cognição e no comportamento.

É comum, juntamente com a sensação de vazio, não haver clareza da própria identidade. Já foi proposto que o TPB seria um transtorno global da regulação e experiência do self.

Formas breves e não psicóticas de desregulação do pensamento, incluindo despersonalização, dissociação e delírios podem se apresentar, e são causadas por situações de estresse, passando quando tais situações passam.

Há extrema dificuldade de abrir mão de um relacionamento, mesmo que este seja difícil. Os indivíduos borderline podem apresentar esforços intensos para impedir que pessoas significativas os abandonem. A necessidade de apoio e afeto contínuo surge com frequência na forma de exigência, o que explicita uma real intolerância à ausência e à separação.

Muitas vezes atacam a pessoa da qual dependem. Apresentam a habilidade em conseguir dos outros o que querem, mas recebem como quem nada deve. A expectativa é a de que o outro atenderá suas necessidades de apoio, atenção, carinho. Devemos tomar cuidado, porém, em chamar os indivíduos borderline de manipuladores, o que não é incomum de se fazer. É verdade que influenciam as pessoas, com seus comportamentos de automutilação ou demonstrações de dor intensa, ou ainda com crises que eles não conseguem resolver por conta própria. Mas isso, por si só, não significa que exista a intenção de enganar ou de prejudicar o outro.

Há "exigência" de intimidade e de muita atenção em relacionamentos que acabaram de começar. As expectativas do borderline são distorcidas, e a chance de se frustrarem é muito grande. É comum terem mudanças súbitas de opinião sobre as pessoas: num momento alguém é perfeito, no momento seguinte um crápula.

Não é difícil de imaginar que seus relacionamentos podem ser caóticos, intensos, difíceis.

Os indivíduos com TPB são extremamente impulsivos, apresentando tendência à adicção, muitas vezes em mais de uma área: álcool, drogas, remédios, comida. Engajam-se em vários comportamentos destrutivos e impulsivos, entre os quais os comportamentos suicidas ou automutilantes.

Um padrão comportamental bastante associado ao TPB, inclusive, é o de atos autodestrutivos intencionais e tentativas de suicídio. Esses atos podem variar em intensidade, desde arranhões leves, batidas com a cabeça, queimaduras com cigarro, até aqueles mais graves, como overdoses, cortes ou asfixia. Sabe-se que de 70 a 75% dos pacientes borderline têm um histórico de pelo menos um episódio de automutilação.

Os comportamentos suicidas dos borderline nem sempre são fatais. Variam as estimativas das taxas de suicídio entre estes pacientes, mas elas tendem a ser em torno de 9%. Parece haver relação entre o número de critérios do DSM preenchidos para o diagnóstico de TPB e a taxa de suicídio, ou seja, quanto mais critérios preenchidos, maior a taxa. Também há relação entre histórico de parassuicídio e taxa de suicídio: indivíduos com tal histórico apresentam taxas de suicídio duas vezes maiores que aquelas de indivíduos sem o mesmo.

Tais atos são muitas vezes precipitados por ameaças de separação ou rejeição, ou por expectativas de que assumam maiores responsabilidades. A automutilação pode ocorrer durante experiências dissociativas e frequentemente traz alívio pela reafirmação da capacidade de sentir ou pela expiação do sentimento de ser mau.

É muito comum não conseguirem seguir uma profissão, uma ocupação, por diversos motivos, entre eles: não lidam bem com críticas, têm baixa tolerância à frustração, apresentam dificuldade em se concentrar, em perseverar, apresentam uma incapacidade de aceitar regras e rotina. Além disso, são bastante inconstantes em suas opiniões e planos.

3.

Vários estudos corroboram a importância de se considerar o abuso sexual ocorrido na infância na etiologia do TPB. Estes estudos baseiam-se na grande prevalência deste tipo de abuso na história de adultos que preenchem os critérios para tal transtorno. Taxas de até 85% são encontradas quando se investiga abuso sexual na infância de pacientes borderline, sejam ambulatoriais, sejam internados, em comparação com outros pacientes psiquiátricos. Inclusive, parece haver uma singularidade na associação do abuso sexual ao TPB, em comparação com outras formas de abuso.

A ocorrência de abuso sexual na infância também apresenta associação importante e direta com comportamentos suicidas ou parassuicidas, que por sua vez são critérios no diagnóstico de TPB.

Tanto o abuso físico quanto o sexual são seletivamente comuns nas histórias de pacientes borderline. Porém, o abuso físico não é, geralmente, mais comum nos relatos de pacientes borderline do que nos relatos dos grupos controle. O abuso sexual, por sua vez, é consistentemente mais relatado como parte da história de vida dos borderline do que como parte da história de pacientes controle, com depressão ou com outros transtornos de personalidade.

A consciência do impacto que experiências precoces de abuso sexual têm no desenvolvimento humano é de origem relativamente recente. Há um aumento exponencial de pesquisas na área nos últimos 20 anos.

Porém, o grande número de estudos não tem sido unânime quanto às suas conclusões. Há controvérsias quanto à relação entre abuso sexual na criança e consequências negativas no adulto.

Alguns estudos concluíram que sobreviventes deste tipo de abuso são altamente vulneráveis a diversos efeitos negativos posteriores. Isso implica fortemente uma relação causal entre abuso sexual infantil e psicopatologias.

Outros estudos, mais cautelosos, argumentam que as consequências são variáveis, e que não podem ser consideradas de antemão como intensamente negativas.

Não há também concordância conclusiva a respeito do papel de variáveis como gênero, idade em que o abuso aconteceu, tipo e severidade, relação com o abusador na gravidade das consequências do abuso sexual infantil.

Atualmente, sabe-se que déficits neuropsicológicos, inclusive de memória e aprendizagem, alterações genéticas e fatores ambientais parecem desempenhar papéis importantes na doença, apontando para um modelo multifatorial da etiologia do transtorno borderline de personalidade.

As tendências de estudo, atualmente, baseiam-se em:
- Acessar uma gama de experiências patológicas na infância em vez de focar apenas na prevalência do abuso sexual;
- Explorar mais explicitamente os parâmetros importantes do abuso sexual (como, por exemplo: se quem cometeu o abuso foi um dos pais, o tempo em que perdurou, se houve penetração), já que podem influenciar de formas diferentes as consequências no adulto;
- Utilizar análises multivariadas na determinação de achados significativos.

4.

Ao utilizarmos o termo TPB, de forma geral, corremos o risco de desconsiderar os indivíduos em suas singularidades. Quando determinamos um diagnóstico, ou cunhamos um termo, é inevitável que caiamos em generalizações, que percamos de vista o humano e particular.

Não há melhor forma de abrir novos campos de mudança que de dar voz às pessoas, com suas experiências intransferíveis. Para aprender é necessário classificar, buscar similaridades, mas sem nunca perder de perspectiva a vivência singular.

Neste aspecto, dar ouvidos a mulheres com diagnóstico de TPB que sofreram abuso sexual na infância é mais do que uma curiosidade investigativa. É se propor a ouvir seres humanos tão humanos quanto assustadores, tamanha a intensidade e força de suas emoções. É entrar em contato com o instável, o descontrole. Com o medo existente em nós mesmos de nos depararmos com nossa própria vulnerabilidade, impotência e instabilidade.

Lia Ades Gabbay-psicologa clínica, mestre em psicologia escolar e do desenvolvimento humano pelo instituto de psicologia da USP.

Lia.ades@gmail.com

Explicando o Transtorno Borderline: CID-10

Transtorno de personalidade caracterizado por tendência nítida a agir de modo imprevisível sem consideração pelas consequencias; humor imprevisível e caprichoso; tendência a acessos de cólera e uma incapacidade de controlar os comportamentos impulsivos; tendência a adotar um comportamento briguento e a entrar em conflito com os outros, particularmente quando os atos impulsivos são contrariados ou censurados. Dois tipos podem ser distintos: o tipo impulsivo, caracterizado principalmente por uma instabilidade emocional e falta de controle dos impulsos; e o tipo "borderline", caracterizado além disto por perturbações da autoimagem, do estabelecimento de projetos e das preferências pessoais, por uma sensação crônica de vacuidade, por relações interpessoais intensas e instáveis e por uma tendência a adotar um comportamento autodestrutivo, compreendendo tentativas de suicídio e gestos suicidas.

O transtorno de personalidade borderline ainda é um campo muito vasto a ser estudado, muitas vezes usado para definir pessoas que não se encaixam em diagnósticos existentes.

Especialistas definem borderline como pessoas mais doentes do que os neuróticos (que experimentam severos conflitos emocionais ligados à ansiedade), mas menos doentes do que as psicóticas (cujo afastamento da realidade torna as funções normais impossíveis).

A doença aparece também ligada a varias comorbidades: Histeria,transtorno bipolar do humor, esquizofrenia, hipocondria, múltipla personalidade, sociopatia, alcoolismo, transtornos alimentares e doenças obsessivas compulsivas.

Pesquisam mostram que 90 % dos pacientes com TPB apresentam pelo menos uma comorbidade.

O TBP é visto pela psiquiatria, assim como o vírus pela medicina, um termo inexato para uma doença não tão comum, mas terrivelmente avassaladora, extremamente frustrante para se curar e impossível para o medico explicar exatamente ao paciente do que se trata.

Em 1980 o TPB foi incluído no DSM e hoje em dia é um dos transtornos mais preocupantes e questionados.

Tendências autodestrutivas são muito comuns nessas pessoas, assim como tentativas de suicídio, tendência à manipulação, compulsão, falta de limites, abuso de drogas e outras substancias nocivas, sexo promíscuo, automutilações e sensação de vazio crônico, além de uma incapacidade para organizar uma vida social, profissional e amorosa.

A falta de entendimento de si mesmo (quem ele é, o que gosta, o que quer fazer) provoca no borderline uma necessidade patológica de estar preso a outrem, de forma simbiótica e dependente.

O borderline é 8 ou 80, ama ou odeia, como se fosse uma criança num corpo de adulto, ele não consegue enxergar o meio termo, não existe equilíbrio e alguém que é considerado um amor para uma vida toda pode se transformar num monstro a ser odiado, de uma hora pra outra.

Outra característica proeminente é a falta de controle com a impulsividade e a incapacidade de ser abandonado ou receber criticas.

Diante dessas situações, essas pessoas tem verdadeiras crises de ira, descontrole, depressão, ataques corporais contra si mesmas ou outras pessoas, arremesso de objetos, tentativa de suicídio.

Para um Borderline ouvir algo como "eu não te amo mais" é o desencadear de um vulcão interno que explodirá sem conseguir frear.

O Borderline vive numa hemofilia emocional constante e está sempre numa montanha russa, com altos e baixos, mudanças súbitas e rápidas de humor, sentimento crônico de vazio e angustia.

A característica da automutilação é presente de varias maneiras, esses indivíduos passam suas vidas fazendo de tudo para sofrerem punições, e em situações de extrema dor causam cicatrizes em seus corpos, com facas, canivetes, pedaços de vidro. Explicam que, a sensação da dor externa, quando se cortam, por exemplo, substitui a dor interna e há um alivio imediato.

A automutilação se dá de diversas formas, entre elas cortes como arranhões leves aonde a pele não é corrompida, feitos com anel de lata de refrigerante, alfinetes, clipes de papel, também costumam reabrir antigas feridas.

Ingestão chegando a overdose, engolir objetos e remédios, além de colocar cacos de vidro na boca, sem a ingestão dos mesmos.

As automutilações mais severas incluem enforcamento, correr propositalmente com o carro na frente de outro, saltar de um prédio alto, enfiar a cabeça na água (privada, lago, piscina), cortar-se gravemente com lamina, morder-se até sair sangue podendo provocar ferimentos extremamente graves, queimar-se com cigarros.

A psicóloga Marsha Linehan, uma das maiores especialistas do mundo em TPB, da Universidade de Washington, descreve-a desta forma: "Os indivíduos Borderline são o equivalente psicológico de pacientes com queimaduras de terceiro grau. Eles simplesmente não têm, por assim dizer, pele emocional. Mesmo os menores toques ou movimentos podem criar um imenso sofrimento".

O Mundo Preto e Branco do Borderline

Como mencionamos, o mundo do borderline é 8 ou 80, com heróis ou vilões, nunca em equilíbrio, é muito difícil para ele entender o conceito do bem e do mal ligados a uma mesma pessoa, boas e más qualidades são inexistentes para a interpretação deles.

Amores, familiares, amigos e terapeutas são idolatrados por eles em um dia e no outro se tornam inimigos e são literalmente "deletados".

Quando há a percepção de que o "amigo" possui defeitos, o borderline automaticamente reestrutura a sua imagem sobre o outro, e reage de duas possíveis formas, ou ele irá ignorar a existência do outro e se afastar ou tentará se culpar de alguma forma, para que o outro ainda faça parte de sua vida.

Esse tipo de comportamento chamado de "splitting" (separação) é o mecanismo primário dessas pessoas, aonde a separação do positivo e do negativo se faz presente, aonde há a impossibilidade de entender o meio termo do outro.

Esse mecanismo faz com que ele afaste propositalmente ou inconscientemente as pessoas de sua vida, causando um caos ainda maior em sua personalidade.

Relacionamentos Tempestuosos

Mesmo sentindo-se o tempo todo sozinhos, abandonados e solitários, os borderline têm a personalidade dependente para que possam se situar através do outro e buscam constantemente pessoas para se relacionarem e sentirem-se menos sozinhos.

Aproximam-se do outro com total confiança, abrem-se de cara, envolvem-se rapidamente, são sedutores, manipuladores, conseguem atrair com facilidade, mas são deixados com facilidade, pois o envolvimento afetivo com essas pessoas é um verdadeiro pesadelo para quem não conhece a patologia.

O outro se sente totalmente sufocado, o borderline exige atenção exclusiva, se o outro está vendo televisão, isso pode gerar uma sensação de frustração e falta de atenção para com ele e há ataques de iras e explosões, cobranças para ter mais carinho, ameaças de suicídio para não haver um abandono, conviver com um borderline é estar sempre participando de uma roleta russa.

Uma característica que incomoda muito o parceiro do borderline é a mudança repentina de humor e a capacidade de ser amado um dia e odiado no dia seguinte.

Beto, 33, casado com uma borderline:

"Minha esposa acha que tenho que viver por conta dela, que ela merece tudo de bom e não deve dar nada em troca, nem mesmo respeito. Tenho que ser fiel, dedicado, proativo, abnegado, misericordioso, incansável e dizer sim pra tudo, senão... Caí no cheque especial, isso de tanto tentar satisfazer minha esposa com as coisas que ela queria.

Eu comprava tudo que ela pedia, mas ela nunca estava satisfeita. Sempre arranjava um algo mais e se eu não comprava, já fechava a cara e começava a me chantagear, criava discussões, me fazia passar vergonha e por aí vai... Já tentou suicídio por causa de um shampoo, que eu não quis lhe dar! Fui percebendo que era um poço sem fundo. Ela NUNCA se dava por satisfeita. Se eu desse 10 itens pra ela, ela ia querer 11, e eu dissesse não para o 11º, ela partia pra briga... Fui cansando de estar sempre nesse estado de falência e de me sentir chantageado.

Resolvi impor limite. As brigas continuaram do mesmo jeito que iam continuar se eu não o tivesse feito, mas pelo menos estou me recuperando financeiramente e não estou mais me sentindo manipulado. Digo "NÃO, você esse mês só vai gastar quantia X e pronto, a partir daí é zero". Falo isso num tom sereno, sem ser grosseiro ou ofensivo. Só aumento o tom se vier com chantagem ou agressão. Se tentar suicídio (geralmente é uma tentativa "light" só pra chamar a atenção ou tentar reverter a situação), levo pro hospital. Se se cortar, compro os itens para fazer o curativo. Se quiser ir para a casa dos pais falar mal de mim, vai. Eu levo e busco, e no intervalo ainda aproveito para sair e fazer algo que eu curto. E assim por diante... Dói, mas é um processo de aprendizado pelo qual temos que passar se quisermos nos libertar dessa escravidão que o border impõe sobre os que o amam".

Depoimento de uma mãe:

"É difícil... dar limites. Mas é muito difícil mesmo: um remédio amargo que tem de ser administrado ao border e se é ruim pra ele, pior para nós. São todos iguais. Acham que vivemos para provê-los de tudo que "merecem", mas são incapazes de dar algo em troca.

Minha filha deu pra de vez em quando me elogiar, mas eu não caio nessa. Fugiu com o novo namorado. Até o momento, não tive notícias dos dois. E agora eu vejo quando foi que ela tentou me manipular: havia antes me elogiado, que eu sou uma ótima mãe, que me ama, etc. Depois fez até o jantar. Mas não caio nessa. Foram anos de despesas desnecessárias, pagamentos de dividas que ela fez, falta de compromisso, mentiras, calúnias. Até contar para o médico que eu a espancava diariamente ela disse.

Em todos os barracos que ela faz, é sempre a vítima, se a ouvirem contando, quem não a conhece, pode até chorar".

Etiologia

Três tipos de causas são aventadas na busca de explicar a etiologia:

1. Desenvolvimento emocional

Esses pacientes possuem em seu passado um histórico emocional perturbador quando o assunto é família: brigas constantes dos pais, abusos físicos, verbais ou emocionais.

Quando adultos eles tendem a repetir esses padrões de comportamento que presenciaram na infância, essa repetição é inconsciente e permanente, um verdadeiro ciclo neurótico.

2. Fatores constitucionais

Sabemos que o ambiente pode nos causar danos futuros ou não, vemos isso em situações aonde dois irmãos criados na mesma família desestruturada podem adquirir comportamentos totalmente diferentes. Por isso, o indivíduo que irá desenvolver o distúrbio borderline está muito ligado a questões ambientais, são crianças hipersensíveis com baixa capacidade para lidar com frustrações e reações muito dramáticas e intensas.

É importante pesquisar os pais desse paciente e analisar o histórico dos mesmos, mas ainda é impossível saber se a herança adquirida pelo borderline é psicológica ou biológica.

3. Fatores socioculturais

Se pensarmos em nossa geração, perceberemos que os avanços tecnológicos estão em constante crescimento, além de uma cultura que impõe valor a bens materiais, corpos esbeltos e muitas vezes situações aonde o individuo se sente pressionado a ser o melhor, através da mídia e das relações humanas cada vez mais frias e desprovidas de troca e compaixão. Estamos numa era um tanto "robótica" e extremamente narcísica.

As crianças, muitas vezes, são deixadas longe dos pais que precisam trabalhar e não possuem os exemplos necessários para uma boa estrutura emocional futura.

Vale ressaltar Bauman e seu conceito da "sociedade liquida", aonde o fútil reina e a capacidade do ser humano em sentir afeto real vai se perdendo, com tanta tecnologia, falta de limites, necessidade material, manipulação da mídia.

Psicodinâmica – O Borderline No Divã

O maior e mais complexo desafio para um terapeuta é o tratamento de um paciente borderline. Esses pacientes podem causar sensações de frustrações nesses especialistas, além do jogo manipulativo que estabelecem, jogo este que é natural, ao borderline e desafiador para os profissionais de saúde.

É preciso identificar o jogo, as mentiras, não entrar na manipulação, pois uma característica típica do borderline é desafiar seu terapeuta, fazendo isso de diversas formas, usando sarcasmo, competindo o intelecto, tentando provar que sabe mais ou criando situações de chantagem emocional.

Não é raro ver um paciente borderline entrando em um consultório onde tem horário com seu terapeuta, em um horário que não é dele, e exigindo uma sessão naquele momento.

Ou por outro lado, também são constantes as faltas às consultas, sem aviso qualquer, às vezes como forma de punição àquele que pode ser o herói ou o destruidor.

A transferência é muito comum entre pacientes borderline e seus profissionais de saúde, isso porque ao sentirem-se seguros e protegidos, podem endeusar, mas rapidamente odiar quem os atende. Por isso é preciso ter cuidado de varias maneiras com esses pacientes.

Marsha Lineah nos diz que cada palavra, gesto, pode ser crucial e o terapeuta deve estar preparado para as diversas tentativas parassuicidas (atitudes suicidas, mais brandas, que geralmente não resultam em morte), ou tentativas suicidas desses pacientes.

Há a contratransferência também: o próprio terapeuta pode sentir-se incomodado com tanta aproximação, mas de certa forma afeiçoado e íntimo, percebemos então, em várias dinâmicas terapeutas, o terapeuta se abrindo para o paciente borderline, encantado com o charme que exerce e dessa forma, ele estará destruindo um vinculo saudável e necessário entre paciente e profissional.

Nesses casos é necessário que o profissional encaminhe esse paciente urgentemente a outro especialista, nunca se esquecendo de usar a empatia e a sinceridade para explicar ao borderline o porque de sua decisão, um corte brusco pode ser fatal ao paciente, que receberá a notícia como um veredito de morte e necessidade de punição.

Alias, é necessário lembrar que em qualquer encerramento de sessão deve-se usar sempre o bom tato, nunca encerrando abruptamente como com outros pacientes, sempre dizendo um pouco antes "olha, temos mais dez minutos", é necessário tentar não causar nenhuma sensação de "corte" no relacionamento e nas sessões.

Nunca se deve dizer "pronto, acabou a sessão, te vejo semana que vem".

Devemos mais uma vez nos lembrar que a comunicação é essencial para o tratamento do borderline.

Dra V. me confidencia que se sente extremamente frustrada com seu paciente borderline:

"Quando sinto que fizemos um progresso, recebo um telefonema de uma nova tentativa de suicídio, é muito difícil lidar com essas pessoas. Tentam manipular a terapia o tempo todo, invertendo o foco, mentindo, testando os meus conhecimentos, estou realmente cansada".

O grande problema é que o subtexto de um paciente borderline será sempre o seguinte:

"Não irei melhorar nunca, a menos que você (terapeuta) demonstre que se importa pessoalmente comigo e não apenas profissionalmente".

Algumas citações sobre o TPB merecem destaque

Milan Kundera:

"Ela quer devolver ao passado sua poesia; quer lhe devolver seu corpo perdido. Porque, se a frágil estrutura de suas lembranças desabarem como uma tenda mal montada, tudo o que restará a Tamina será o presente, esse ponto invisível, esse nada que avança lentamente em direção à morte". ("The Book of Laughter and Forgetting")

Bion:

"Faz uma distinção entre dois tipos de vínculos que os seres humanos podem fazer com uma realidade externa viva. O primeiro é o vínculo articulado que permite, por meio de sua flexibilidade, que a condição de estar vivo seja sentida e vivenciada. O segundo, o vínculo rígido, restringe a experiência e o pensamento a fragmentos manejáveis mas mecânicos. Muitas vezes Bion comparou o modo de aproximação do bebê ao seio materno com a resposta emocional do paciente ao seu analista".

Alfredo J. Painceira:

"Quando efetuamos uma análise estrutural da configuração do self nos pacientes fronteiriços reparamos que está constituído por múltiplos fragmentos que alternativamente assumem o controle da pessoa e de sua conduta, dando a esta esse tom de caos e imprevisibilidade que a caracteriza. As pautas patológicas mutantes da mãe e os afetos e impulsos que entram em jogo em cada uma dessas microexperiencias repetidas de desencontro (trauma acumulativo de M. Khan), assim como as respostas desesperadas do sujeito incipiente para sobreviver e fazer previsível o caos, farão parte dessa estrutura". (Análise Estrutural da Patologia Fronteiriça).

Kernberg:

"No paciente fronteiriço, pelo contrário, acharemos um falso self facetado, por assim dizer, formado por múltiplos fragmentos auto-suficientes, que se põem em jogo independentemente um do outro, alternando sua atualização, onde em um deles estará centrado o foco da consciência no determinado momento".

Segundo **Painceira** levando em conta o falso self presente nesses quadros de "se o analista não está prevenido, repetirá passo a passo um livreto escrito na pré-história do sujeito e de cuja origem ele não é consciente (porém é consciente das múltiplas reiterações posteriores)".

Nahman Armony:

"A grosso modo pode-se dizer que durante aproximadamente os primeiros 50 anos de psicanálise o neurótico domina a cena psicanalítica e que, de lá para cá, as chamadas síndromes limítrofes têm ocupado um lugar cada vez maior na clínica e no pensamento psicanalítico".

Grinker, R.R. Fala de quatro níveis de borderline:

Grupo 1. O borderline psicótico – comportamento inapropriado e não adaptado. Deficiente senso de identidade e de realidade. Comportamento negativo e raivoso em relação às pessoas. Depressão.

Grupo 2. O borderline nuclear – Envolvimento flutuante com outros. Expressões abertas e atuadas de raiva. Depressão. Ausência de indicações de um self consistente.

Grupo 3. Personalidades 'como se' – comportamento adaptado e apropriado. Relações complementares. Pouca espontaneidade e afeto em resposta a situações. Defesas: afastamento e intelectualização.

Grupo 4. O borderline neurótico – Depressão analítica (semelhante à da infância). Ansiedade. "Semelhança com caráter narcisista neurótico".

Algumas das observações feitas por Painceira, Alfredo J., sobre os borderline problematizando a abordagem desse quadro:

"No paciente fronteiriço... acharemos um falso self facetado, por assim dizer, formado por múltiplos fragmentos autosuficientes (...)"; "Essa estrutura é o resultado da introjeção em massa do meio ambiente materno patológico, como defesa extrema, a fim de conjurar a angústia inimaginável pelo desabamento provocado pela ruptura precoce do vínculo da mãe com seu filho"; "(...) preferem viver num caos gerado por eles 'a viver passivamente em um caos que os transcende e que é gerado a partir de fora deles mesmos. Tudo isso vai levar a novos e sucessivos desencontros traumáticos, como, por exemplo, se lhes déssemos algo que eles mesmos fizeram ou disseram há alguns instantes, ou na sessão anterior, e que entram em contradição com sua reclamação atual, nos olham surpresos como se 'isso fosse correspondente a outro e não a eles', vendo no máximo esse acontecimento passado como exterior ao momento atual.

"Em parte, isto se ajusta à verdade porque foi 'outro' paciente o que agradecia ao analista no começo da sessão, em relação a este último, que é quem o ataca sem piedade".

"A perseguição, a surpresa, a reação, a inautenticidade inauguram sua existência precária, já que nascem sendo outro e não eles mesmos. A mãe é uma mãe caótica que estabelece vínculos profundos de identificação primária com seu filho pela influencia de suas próprias necessidades e que os interrompe bruscamente 'deixando cair seu filho'. Este corte brusco e inesperado gera defesas externas para suturar o corte, porém... volta a conectar-se e assim destrói o que o filho construiu para sobreviver".

Painceira ainda nos chamará a atenção para o fato de o analista ao conseguir fazer ceder o jogo dos fragmentos da "parte psicótica" do paciente e entrando em cena os fragmentos de sua "parte neurótica", mais organizada porém tão falsa quanto a anterior, que este fique preso a toda uma intervenção que viraria, em primeira instância, um evitar que esse paciente volte a trazer sua "parte psicótica" para a transferência.

Diz ele: "Nesses momentos, ao alívio inicial se segue uma tensão crescente no analista, um temor acentuado de que uma interpretação sua descompense o paciente e, ao desencadear-se novamente a psicose transferencial, o vendaval apague o elaborado. Quando o analista faz desta atitude uma ideologia, abandona o campo da análise para tentar fazer 'outra coisa' que não cure o paciente ou que não tente curá-lo impedindo-lhe o acesso a uma existência saudável. Sua tentativa pode ser válida e pode servir ao paciente para que este se organize, ainda que isto signifique que o analista tenha encontrado seu próprio e não acredite que tenha recursos para ir mais além".

Nahamn Armony nos esclarece também:

"O borderline pensado na perspectiva edípica será falado como tendo um superego frouxo, lábil, influenciável, correspondente à descrição freudiana do superego feminino. Justamente é este superego poroso, que se deixa penetrar e influenciar, que privilegiará o homem da pós-modernidade, tornando-o apto a acompanhar as rápidas transformações da cultura".

Linhas de terapia

Freudiana

Sigmund Freud, o pai da psicanálise, acreditava que o método de investigação deveria evidenciar o significado inconsciente de palavras, ações, sonhos, fantasias e delírios de uma pessoa. A sua técnica permite associação livre (nem sempre indicada ao paciente borderline, já que a livre associação de ideias não irá conduzi-lo a outras percepções).

Junguiana

Carl Jung buscava os arquétipos no coletivo e tinha como objetivo a reconciliação dos diversos estados da personalidade dentro das pessoas.

Lacaniana

A teoria de Jaques Lacan usa a livre associação e conversas em que o próprio analisado descobre as suas questões.

Gestalt

Tudo tem influência em cada ser vivo: a natureza, o planeta, o meio em que se vive. Só pode ser compreendido pelas interações entre as partes que compõe um todo. Nada pode ser compreendido isoladamente.

Sistêmica

Não existe verdade absoluta, certo ou errado, bom ou ruim. O terapeuta deixa que o paciente reconheça seu próprio padrão de funcionamento. A análise é feita de acordo com as reações de cada pessoa diante de uma situação específica.

Cognitiva-condutual

O paciente já é diagnosticado no começo do tratamento que utiliza técnicas de relaxamento e respiração durante a sessão. Há ainda tarefas relacionadas com o problema para o trabalho durante a semana. Todos os passos são explicados.

Terapias usadas para o tratamento do borderline

Terapia comportamental

A terapia individual de apoio é muito indicada ao paciente borderline, aonde rapidamente é dada uma solução para o "aqui e agora", sem se importar muito com o passado do paciente.

Vários especialistas debatem sobre a eficiência do processo, argumentando que esse tipo de terapia busca evitar o suicídio mais do que tratar um problema e ir ao foco dele.

O foco principal da terapia está em como os problemas (atuais ou não) interferem com sua vida diária, ajudá-lo a entender esses problemas e a desenvolver maneiras de lidar com eles.

É um tipo de psicoterapia mais ativa, onde o terapeuta pode pedir para você fazer ou pensar sobre certas coisas entre as sessões (como uma "lição de casa") ou sugerir certos comportamentos (que fazem parte das técnicas da abordagem e/ou foram demonstrados serem eficientes para determinados casos, pela literatura científica).

Nessas terapias o paciente acaba se tornando menos ligado ao terapeuta, fazendo com que a transferência seja menor. A terapia tende a cessar quando o paciente consegue enxergar objetivos e metas para sua vida estando menos dependente.

Essa terapia foi usada pelo doutor Ralph Greenson para tratar de Marylin Monroe, aonde reconheceu que a terapia clássica não alcançaria as necessidades da paciente.

No caso dela, ele sentia que havia a necessidade de experimentar novas e boas situações na vida a fim de dissolver os fantasmas de um passado cruel.

Terapia de grupo

Faz enorme sentido pensar nesse tipo de terapia para pacientes borderline, isso porque o grupo permitirá que o paciente dilua suas emoções e não precise desabafar com apenas 1 pessoa, há um alivio e diminuição do estresse.

A confrontação de outro paciente do grupo pode acabar sendo melhor tolerada do que feita pelo terapeuta sozinho e ele acaba aceitando mais facilmente demonstrações de altruísmo, afeto, preocupação.

Alem disso o espelho é essencial, pois quando um paciente do grupo consegue melhorar, há uma esperança, nos outros membros do grupo, de que eles também poderão conseguir e de que não são os únicos sofredores no mundo; eles convivem com outras pessoas que sofrem e esta percepção pode trazer-lhes um senso maior de confiança e autoestima.

Relacionamentos entre pacientes de um mesmo grupo podem ser totalmente perigosos, o foco central da terapia se dissolve e mais uma vez há a necessidade de atrair alguém para sentir-se momentaneamente bem.

Virginia, 29 anos, confessa que obteve maior êxito em terapia em grupo:

"Sentia me incomodada com a presença do terapeuta na minha frente, creio que desde que meu pai me abusou, a sensação de estar sozinha com um homem mais velho assustava-me um pouco, mas eu não conseguia entender direito. Com o grupo e a ajuda dos outros pacientes, percebi que o foco da minha raiva não era o terapeuta e sim as minhas lembranças do passado, a experiência em grupo é maravilhosa, existe a troca e isso nos impulsiona".

Terapia familiar

Essas terapias geralmente ocorrem quando o paciente está internado, mas é essencial a presença da família para se compreender varias lacunas do prognóstico do paciente borderline.

Geralmente os pais se mostram muito culpados e preocupados em serem os responsáveis pela doença do filho e a seguinte afirmação é muito comum de ser ouvida nesses casos: "trate-o, deixe-o sentir-se bem, faça o que quiser, mas não coloque a culpa em nós, e por favor, não tente nos modificar".

Cynthia, 26 anos, foi internada após uma nova tentativa de suicídio

Seu histórico era de abuso sexual aos 8 anos de idade, por um vizinho da família, com 16 anos na época, e após o abuso ele a fez beber sua urina e a cortou.

Na terapia em família, pela primeira vez, ela conseguiu confrontar os pais e dizer o quanto se sentiu humilhada na época pelo abuso e por não ter recebido apoio.

"No início eu achei que fosse surtar, relembrar tudo isso e contar novamente a eles foi humilhante, mas eu pude me expressar e isso me tirou um peso enorme guardado há séculos. Eu disse a eles o quanto me fizeram mal por serem negligentes, que não poderiam ter fingido que tudo estava bem, que eu sabia muito bem que eles sentiam vergonha de mim. Para a minha surpresa, após um longo momento de ficarem na defensiva, eles caíram em prantos e conseguiram demonstrar seu amor por mim, pela primeira vez pude ouvir um eu te amo da boca de minha mãe e pai".

Comparação com outras Doenças

O transtorno mascara outras doenças, por isso o diagnóstico se torna tão complicado. Geralmente diagnosticado com outros transtornos, o paciente acaba passando longo tempo em clínicas sem um diagnóstico correto.

TBP pode estar ligado a diversos quadros patológicos, mas apenas um deles será diagnosticado, como por exemplo, um distúrbio bipolar, esquizofrenia ou uma anorexia nervosa, retardando as possibilidades de um tratamento correto.

Pensando que o paciente borderline possui praticamente quase todos os traços dos quadros associados a outros transtornos, podemos entender a dificuldade real de um diagnóstico preciso.

Seguem as diferenças principais de outras patologias comparadas ao TBP:

Comparação com esquizofrenia

Pacientes esquizofrênicos são bem menos capazes de manipular as pessoas como fazem os borderline e geralmente são bem mais isolados e inibidos. Além disso, pacientes esquizofrênicos podem sofrer graves alucinações. A semelhança vem da necessidade de se autodestruir e mutilar.

Comparação com doenças afetivas (bipolaridade, mania e depressão)

Pacientes maníacos depressivos apresentam assim como os pacientes borderline, mudanças de humor, flutuações de mania para depressão, mas no caso do paciente bipolar, um remédio adequado dá a ele a qualidade de vida necessária pra seu dia a dia e o prognóstico é muito satisfatório. Por outro lado, o paciente borderline não possui um medicamento único e por isso não se adapta internamente como faz o bipolar; ele sentirá um vazio constante, mesmo quando não está em fases de mudanças de humor.

Uma diferença importantíssima é a flutuação do paciente borderline, que é bem mais rápida do que a flutuação do paciente bipolar. O paciente border pode estar feliz e dentro de 5 minutos agressivo e depressivo e o bipolar apresentará uma maior longevidade nos períodos depressivos e maníacos.

É preciso tomar cuidado com o diagnóstico, pois muitos pacientes borderline são tratados como bipolares por possuírem essas mudanças de humor.

Comparação com hipocondria

Pacientes borderline geralmente reclamam incansavelmente de estarem doentes e precisando de remédios e ajuda médica e familiar.

A grande e essencial diferença é que o hipocondríaco faz isso também, mas ele realmente acredita estar doente, enquanto que o borderline o fará no intuito de conseguir a atenção que busca e a sensação de estar sendo cuidado.

Comparação com múltipla personalidade

Alguns psiquiatras consideram o distúrbio de múltipla personalidade um tipo de distúrbio decorrente do TBP. Vejamos as semelhanças de ambos os distúrbios:

Impulsividade, raiva em excesso, relacionamentos destrutivos, mudanças de humor e propensão à automutilação.

Diversos estudos constataram a prevalência do distúrbio TBP e pacientes com múltipla personalidade numa escala de 82%.

Comparação com o estresse pós traumático

O estresse pós traumático abrange uma diversidade de sintomas, mas que sempre precede acontecimentos traumáticos. Caracteriza-se por um medo intenso e persistente, sensação de reviver o acontecimento, seja em sonhos, seja no dia a dia, pesadelos constantes, irritabilidade.

O TBP foi encontrado em metade dos pacientes com estresse pós traumático, de acordo com diversos estudos e pesquisas.

Comparação com outros Distúrbios de Personalidades

Poderemos perceber características extremamente similares entre o TBP e outras personalidades problemáticas.

A personalidade dependente se assemelha ao borderline na maneira da necessidade constante do outro para uma autoafirmação, sendo a pessoa sozinha incapaz de reconhecer-se como individuo. Porém a personalidade dependente não possui a autodestruição do borderline e nunca terá os momentos solitários (propositais) que o paciente borderline geralmente costuma buscar.

Personalidades que são muitos comparadas e similares ao TBP são a anti-social, a narcísica, a histriônica.

Tanto o narcisista, quanto o borderline, irão apresentar similar hipersensibilidade às criticas feitas por outrem, e rejeições podem levar a quadros severos depressivos.

Ambos exigem do outro extrema atenção.

Porém o narcisista apresentará uma empatia muito maior e falta de culpa, características encontradas no borderline.

A aproximação do borderline com o outro é feita de forma bem mais sensível.

A personalidade anti-social, assim como a borderline, apresenta impulsividade, pouca tolerância a frustrações e necessidades manipuladoras nos relacionamentos.

A diferença está na falta de culpa sentida pelo anti-social e o excesso de culpa sentido pelo paciente borderline.

A personalidade histriônica, assim como a borderline, possui a tendência de precisar chamar a atenção dos outros como necessidade intrínseca e isso é feito sempre de forma dramática e teatral. Uma diferença importante é a aparência do histriônico que será sempre exageradamente cuidada.

Comparação com transtornos alimentares

TBP e abuso de drogas andam sempre juntos

O uso excessivo de álcool e drogas faz parte da característica autodestrutiva do borderline, automutilação, raiva, falta de limites e necessidade de preencher o vazio e a solidão.

Anorexia nervosa e bulimia

Transtornos alimentares são marcados pela desaprovação da pessoa com a própria identidade. A anoréxica enxerga seu mundo em 8 ou 80, obesa (a forma como ela se enxerga no espelho) ou magra (a forma como ela nunca achará que estará). Por sentir-se tão fora de controle, ela provocará vômitos e terá crises de "binding" (comer em exagero).

Diversos estudos apontam que 50% dessas pacientes sofrem de TBP, mas alguns estudiosos reclamam que o percentual pode ser muito maior.

Comparação com compulsividade

Pessoas compulsivas buscam preencher seus vazios com jogos, compras, sexo promíscuo, uso de drogas, roubos, amores patológicos.

Mas quando qualquer desejo é impulsionado por uma compulsão, ele necessariamente implica uma necessidade exagerada de sentir ou uma necessidade de automutilação.

Uma mulher borderline pode se tornar compulsiva em cuidar do corpo para poder atrair homens a fim de conseguir minutos de sexo e afeto, e geralmente esses relacionamentos são preenchidos com experiências sadomasoquistas.

Outros Quadros	Distúrbio Borderline
Esquizofrenia	Diferenças: Crises mais rápidas sem sequelas agudas. Não se adapta aos delírios.
Doenças Afetivas Bipolares	Diferenças: Mudanças súbitas de humor mais rápidas. Maior dificuldade de adaptação à realidade entre crises.
Distúrbios Narcísicos	Semelhanças: Hipersensibilidade à crítica. Falhas simples provocam depressão grave. Diferenças: É menos bem sucedido e disciplinado. Destrói vínculos afetivos e profissionais é viscoso e mais vulnerável à opinião alheia.
Parasuicidas	Muito semelhante: Descontrole emocional. Irritabilidade, hostilidade. Problemas relacionais. Abuso de drogas. Promiscuidade sexual. Rigidez cognitiva. Pensamento dicotômico. Pouca capacidade de abstração e resolução de problemas.

A maior diferença entre o distúrbio borderline e os outros distúrbios de personalidade consiste na presença de atos autodestrutivos ou tentativas de suicídio. Cerca de 70-75% dos pacientes apresentam pelo menos uma tentativa de suicídio das quais 9% são fatais.

Explicando os Critérios do TBP

1. Esforços frenéticos para evitar um abandono real ou imaginário.

2. Um padrão de relacionamentos interpessoais instáveis e intensos, caracterizado pela alternância entre extremos de idealização e desvalorização (Pensa dicotomicamente e de forma radical. Não compreende o meio termo, as inconsistências e ambiguidades. Idealiza e se desaponta o tempo todo).

Os relacionamentos do borderline são sempre regados a instabilidade emocional, intolerância à separação e medo de intimidade.

O borderline é excessivamente dependente do outro, com pensamentos de idealização que são logo trocados por raiva e ira, no momento em que a fantasia que criam do outro é destruída.

São pessoas que convivem com uma situação bem complicada, pois necessitam da urgência do cuidado do outro e da atenção total e ao mesmo tempo sentem o pavor da intimidade real. Essa luta em querer receber atenção ao extremo e nunca conseguir sentir de fato o carinho do outro e a necessidade de afastar aquele que realmente se importa e ama, faz com que as emoções do borderline sejam vulcões em erupções e pessoas são facilmente conquistadas e descartadas de suas vidas.

A manipulação é constante e a necessidade de ser o centro das atenções para o outro 24 horas por dia, faz com que o parceiro se canse facilmente e geralmente se afaste.

Tomás conta que quando namorou uma borderline (Kelly) quase entrou em depressão profunda tentando satisfazer todas as suas vontades e desejos:

"Veja, eu fazia de tudo para agradá-la, mas nunca era o suficiente, se eu comprasse um buquê de rosas era agredido por não ter comprado dois, se eu estivesse cansado por causa do trabalho ela tinha verdadeiros ataques de ira dizendo que eu não estava dando-lhe a devida atenção, caso eu precisasse viajar a negócios, aí era voltar para casa com a mensagem de que Kelly tentara se suicidar... foi o fim do poço, impossível lidar com isso, quando percebi que me afundava junto, caí fora".

E Jessica confessa:

"É típico do borderline a aproximação por pessoas complicadas, nosso radar para esse tipo de gente é infalível, queremos a autodestruição por isso o homem muito saudável não nos causa afeição alguma.

Eu já me envolvi com casados, traficantes, sociopatas, mas nunca consegui ceder ao tipo "bom rapaz". Qual prazer podemos tirar de alguém tão normal?

3. Perturbação da identidade: instabilidade acentuada e resistente da auto-imagem ou do sentimento de self.
4. Instabilidade afetiva devido a uma acentuada reatividade do humor (por ex., episódios de intensa disforia, irritabilidade ou ansiedade geralmente durante algumas horas e apenas raramente mais de alguns dias).

O borderline flutua em suas emoções e sentimentos de forma muito rápida, (geralmente horas) mas na maioria do tempo estará irritado, hiperativo e pessimista, cínico e depressivo.

Ana, 29, secretária, conversa comigo de forma eufórica:
"Outro dia eu estava com uma amiga num barzinho, estávamos rindo e conversando, tudo normal, natural, até que um rapaz que eu estava paquerando se aproximou de nós e propositalmente para me irritar começou a cantar a minha amiga. Aquilo me fez mudar de humor na hora, um ódio tomou conta de mim e senti vontade de pular em cima dele por ter estragado meu dia, poxa eu estava tão bem! Terminei a noite no banheiro chorando e ainda dei uns pontapés na porta. Sabe, o meu dia é assim, fatores externos que para outras pessoas podem não significar nada, para mim vêm como tempestades, se eu percebo que não estou sendo o centro das atenções, me sinto humilhada, se alguém critica meu cabelo ou meu corpo, tenho reações impulsivas de raiva, não aguento qualquer crítica, minhas emoções são dependentes daquilo que os outros pensam e dizem sobre mim, sou uma escrava".

5. Impulsividade em pelo menos duas áreas potencialmente prejudiciais à própria pessoa (por ex: gastos financeiros, sexo, abuso de substâncias, direção imprudente, comer compulsivamente).

Os sentimentos de solidão e rejeição, levam o borderline às compulsões de diversos tipos, vários pacientes afirmam que o "hoje é agora" e "não existe passado nem futuro, apenas o agora".

Pensando nessa afirmação, podemos imaginar a falta de serenidade desses pacientes para lidar com prazos e metas, anos de estudo e/ ou trabalho parecem intermináveis e geralmente são deixados de lado.

A impulsividade pode surgir como forma de defesa frente a uma frustração, como por exemplo, uma separação conjugal, o que leva o borderline a verdadeiros ataques de fúria e lutas corporais, podendo machucar o outro ou a ele mesmo. Outro fator associado à compulsão é a rápida oscilação de humor e a falta de limites existentes nessas pessoas.

Carol, 23 anos, é uma estudante de medicina:

"Quando meu ex-namorado foi embora, comecei a beber ingerindo junto medicamentos antidepressivos que pegava de minha mãe, além de perder o controle em relação ao sexo. Tudo era possível, não existia limites para aliviar a sensação de abandono que eu sentia.

Houve uma época em que eu devo ter transado com 5 homens por dia, eu os achava nas ruas, internet, bares, não havia como parar, enquanto eu estava com eles um certo poder me tirava a sensação de vazio e depois a ressaca moral me trazia culpa e eu me sentia suja, mas nunca conseguia parar, no dia seguinte lá estava eu, bebendo, usando drogas e transando com desconhecidos. A compulsão faz parte do nosso dia a dia".

Assim como Carol, muitos borderline não possuem limites quanto ao beber, usar drogas, jogar, gastar compulsivamente até estourar o cartão, fazer sexo de forma promíscua e descuidada.

6. Recorrência de comportamento, gestos ou ameaças suicidas ou de comportamento automutilante: É extremamente importante descrever o suicídio do borderline, o ato de tentar tirar a própria vida vem da necessidade de ser socorrido e cuidado por outras pessoas, estamos novamente percebendo a necessidade de atenção exagerada que eles buscam incansavelmente.

Geralmente essas tentativas são calculadas, há a consciência de que sobreviverão e fazem chantagem emocional com as pessoas mais próximas, exigindo mais atenção senão tentarão uma nova vez.

Acontece que vários amigos, namorados e familiares acabam se cansando após tantas manipulações e muitas vezes não mais reagindo frente as chantagens de um possível suicídio.

E essa "brincadeira" de "eu vou me matar", pode acabar em morte.

A incidência de tentativas de suicídio tende a diminuir a cada nova tentativa, há uma regressão de tentativas, fator positivo no tratamento.

A automutilação é a necessidade de sentir no corpo uma dor extremamente forte e interna, o borderline então, para amenizar essa dor, precisa senti-la no corpo e como consequência o seu corpo vira um mapa de cicatrizes e machucados.

Os cortes são feitos nos braços, pernas, barriga, tórax, e pedaços de vidros, giletes e até mesmo facas são usados para tal punição.

Vivian, 32, me mostra o braço e me impressiono com tantas marcas, não há mais espaço para corte, seu corpo está tatuado em dor e cicatrizes:

"Quando eu me corto sinto um prazer inexplicável, é quase um orgasmo, eu juro pra você, às vezes até melhor que uma boa transa, eu finco o canivete na pele e sinto ela se abrindo, a sensação de dor é real, me faz viva, me tira do estado apático e sofredor, me retira por alguns instantes a dor interna que não passa, e eu me lambuzo com o sangue quente, a vida que há em mim e a possibilidade de sentir".

Daniel, 27, é um rapaz que usa o perigo como forma de sobrevivência:

"Eu nunca realmente tentei o suicídio, nem mesmo os cortes, mas a minha forma de sentir-me vivo é através do meu carro, corro a mais de 120 por hora nas estradas e duas vezes já capotei, infelizmente continuo aqui. A sensação de liberdade é incrível, eu sei que posso morrer a qualquer segundo, a qualquer curva da estrada, mas talvez seja isso que eu esteja buscando".

Especialistas afirmam que, após esses episódios autodestrutivos, endorfina é liberada e a pessoa tem uma sensação prazerosa e anestésica, um alivio imediato que traz ao corpo a necessidade de sentir cada vez mais.

7. Sentimento crônico de vazio ou enfado: A ausência de forte senso de identidade culmina num sentimento de vazio existencial. Este sentimento é tão doloroso a ponto de provocar comportamentos impulsivos e autodestrutivos na tentativa de livrar-se desta sensação.

8. Esforços frenéticos para evitar abandono real ou imaginário: Tal qual a criança que não distingue entre a ausência eventual da mãe e sua morte ou desaparecimento, experimenta qualquer solidão eventual como isolamento completo e eterno. Não suporta a solidão e fica seriamente deprimido com o abandono real ou imaginado, pois perde a sensação de existir. Seu lema existencial parece ser: "se os outros interatuam comigo, então eu existo!"

9. Ideação paranóide transitória relacionada a situações estressantes ou severos sintomas dissociativos: Em situações de muita tensão, pode apresentar dissociações passageiras, pensamento confuso e delirante, com interpretação paranóide dos fatos.

Comunicando com o Borderline

A comunicação com o borderline é extremamente difícil, como já vimos, há explosões súbitas de raiva, impulsividade e sempre há a dúvida de como se expressar para que eles não reajam inesperadamente ou não nos interpretem de forma errada.

Descreverei uma estrutura eficiente, (set system) que poderá ser adotada por amigos, familiar e terapeutas.

Desenvolvido em Saint John's Medical Center, em St Louis, esse método é indicado para borderline em crise.

Empatia

"Eu estou realmente preocupado com você", nessa frase podemos ver que o interlocutor se coloca como pessoa preocupada com o outro, diferentemente se falasse da seguinte forma: "Sinto tanta pena de você".

Percebam que o centro da conversa deve ser o problema do borderline em questão e não um julgamento aonde a pessoa que tenta se comunicar acaba incomodando muito mais.

Isso é apenas um exemplo do que chamamos de empatia, essa capacidade de entender e lidar com o outro, poder se envolver da forma correta, saber como lidar, entender que uma frase pode causar um alívio ou uma tormenta ao outro.

Um outro exemplo do que nunca deve ser dito seria:

"Eu sei exatamente o que você está sentindo".

A sensação que o borderline terá com essa frase é de que você não sabe (de fato) o que ele sente e poderá gerar uma crise ou agravar uma situação.

O foco da comunicação deve, portanto, estar sempre no borderline, deixando entender que há preocupação real, mas nunca se comparando a ele, apenas entendendo e manifestando um interesse real em ajudar.

Veracidade

Mostrar ao borderline que ele é responsável por sua vida e a vida de outras pessoas é essencial, mas há formas de como passar essa veracidade e não causar irritações. Alguns exemplos: "Bem, o que você fará a respeito dessa situação?" Você fez isso... as consequências são estas". Mas tais afirmações devem ser ditas sem que qualquer tom de sarcasmo ou tentativa de colocar culpa no borderline, como por ex: "Você nos meteu em uma encrenca horrível!" ou "você fez o que fez, agora aguente as consequências".

Verdade, empatia e realidade devem estar contidas nesses diálogos, de outra forma, o borderline certamente o acusará de estar sendo sarcástico, negligente, ou desinteressado e a comunicação de nada valerá.

Exemplo de casos:

1. Márcia e Tom

Márcia conta ao seu marido Tom que irá tentar se matar, mas proíbe que ele tente buscar-lhe ajuda.

Nessa situação, Tom será confrontado com duas informações imediatas: "Se você realmente se importa comigo, não irá buscar ajuda, deve confiar na minha autonomia e decisão". E a mensagem oposta será: "Pelo amor de Deus, se você se importa de verdade comigo, faça alguma coisa!"

Se Tom tentar explicar à Márcia porque ela não deve se matar e lhe dar diversos motivos, ela certamente irá reagir dizendo que ele não entende realmente o sofrimento dela.

Por outro lado, se ele chamar a polícia ou algum médico, ela receberá a informação de que não pode confiar nele.

Márcia coloca Tom nesse dilema porque não consegue tomar decisões por conta própria, então precisa da presença de alguém para resolver seus problemas por ela.

Independente de como ele reagir, será criticado, pois já faz parte desse "jogo" aonde Márcia o colocou histericamente, sem opção para que saia ou argumente.

O que Tom deve fazer? Em primeiro lugar, ele deve confirmar o seu compromisso com Márcia e seu desejo sincero em ajudá-la: "Estou muito preocupado em quão mal você está se sentindo e gostaria de ajudar porque amo você"

Percebam que, com essa afirmação, Tom mostra empatia e se coloca de forma sincera, clara, objetiva.

Caso ele perceba de onde vem o desespero dela, pode sugerir saídas e alternativas: "Quero que você saiba que eu estou do seu lado caso queira largar seu trabalho".

O fator de estar compreendendo a dor de Márcia é imprescindível nesse diálogo: "A pressão e o estresse que você tem passado esse tempo todo, deve estar te deixando no limite, a um ponto que você sente que não consegue mais".

Tom deve estar usando a empatia e a veracidade para contornar essa situação: "Eu sei como você se sente, mas quero que saiba que há motivos para você não se matar e que eu me sinto responsável por você, mesmo que você tenha me pedido para te deixar sozinha, como eu poderia fazer isso se me importo tanto com você?"

E Tom, finalmente, deve pedir a Márcia que considere uma internação, mas de forma que ela perceba que isso será com o propósito de impedi-la de cometer suicídio e melhorar e não porque ele quer se livrar dela.

Percebemos então como a comunicação correta pode salvar uma vida, devemos lembrar que o borderline não receberá a nossa mensagem da forma como outra pessoa receberia, ele precisa estar certo de que existe uma preocupação real, de que existe o afeto e de que não estamos ameaçando, mas sim ajudando.

Afirmações aonde existam confrontações e ameaças poderá resultar numa crise pior e a tentativa de suicídio certamente será levada a sério.

Famílias desestruturadas acabam piorando o quadro devido a uma péssima comunicação da qual resulta num desastre para o borderline que receberá o que ouve como insultos, criticas e se sentirá irado, desesperado, causando nele a impulsividade que o levará às drogas, sexo promíscuo, cortes e outras atitudes sem limites de que já falamos.

2. Ângelo e amigos

Ângelo, de 57 anos, vive com Maria, sua esposa. Maria percebe os altos e baixos de Ângelo mas ao invés de tentar ajudá-lo, tem uma reação de humilhá-lo em todas as áreas de sua vida. Ela o acusa de não ter um bom trabalho, de ser um péssimo amante na cama, de ter oscilações de humor o tempo todo.

Ângelo se sente com raiva e, como todo borderline, após sentir-se com raiva ele sentirá mais raiva por ter sentido raiva e cairá em depressão. A culpa após a ira é muito frequente e a depressão é o resultado final.

Os amigos de Ângelo tentam confortá-lo, dizendo-lhe que ele está mal por motivos desnecessários, o que faz com que Ângelo se sinta pior, percebendo que não há real compreensão de sua dor, a raiva só aumenta e a culpa por sentir essa raiva novamente cresce, deixando-o num estado cada vez pior.

O que os amigos devem fazer? Usando a empatia e a veracidade, eles poderão explicar para Ângelo que ele não é uma vítima, mas está se deixando ser.

Ele precisa receber a mensagem de que está sendo explorado verbalmente e emocionalmente por sua esposa Maria, mas que não está fazendo nada para modificar a situação. Assim, ele perceberá o seu papel na situação de estar se deixando ser abusado por outros e poderá compreender como chegou a tanto sofrimento.

No momento em que Ângelo aceitar que sua raiva é real,ele não precisará sentir raiva e culpa por ter raiva, saberá de onde ela vem e trabalhará em terapia para que ela vá amenizando-se cada vez mais, frente a estímulos negativos e desconfortáveis.

Desta forma, ele poderá se modificar e seguir em frente, melhorando vários aspectos de sua vida.

Percebemos que Ângelo, assim como vários borderline, possui a necessidade de buscar parceiros aonde a relação seja cheia de jogos, sadismo, desafeto e vitimização.

3. Carla

Carla, uma mulher de 28 anos, procurou-me com a seguinte afirmação:

"Acho que eu amo demais e esse é o meu problema".

Durante as nossas sessões de terapia, ela me revelou os diversos casos amorosos que tivera, entre eles, vários homens casados, um dependente de drogas e álcool e o último romance frustrado foi com um homem que a espancava diariamente.

Eu já sabia de seu diagnóstico de borderline e por isso o fato de ouvir tantas simbioses e sofrimentos com pessoas desestruturadas fez sentido. Mas era necessário que eu fizesse Carla entender de forma correta porque ela agia assim.

Ela reclamava de todos eles dizendo que, por algum motivo, atraía homens insensíveis, mas não conseguia deixá-los, o amor era forte demais e eles acabavam se mostrando verdadeiros monstros insensíveis.

O meu discurso durante as sessões com ela, seguiu um ritual de confirmar e afirmar que o "amar demais" era um problema aonde ela estava amando de menos principalmente a si mesma. Disse-lhe que ela preenchia buracos e dores com falsos amores e sem pressionar mostrei-lhe a responsabilidade que lhe cabia nesse processo todo:

"Eu entendo o quanto é difícil estar ao lado de um homem que te espanca, mas sinto-me aliviada por ter conseguido sair disso, afinal que tipo de amor é esse que machuca?"

"Eu entendo a sua dor, mas você precisa perceber que é responsável pela sua dor e não vítima, muito menos culpada, você buscava esse padrão de homens propositalmente para se automutilar".

Sem gerar estresse ou desconforto, usei de empatia e de veracidade para dizer-lhe o quanto ela deveria ser responsável por ela mesma e parar com esses relacionamentos doentios.

Carla entendeu o processo de repetição de padrão e hoje está muito mais propícia a encontrar uma pessoa que a ame de verdade e até a ajude em seu processo doloroso de vida.

LOCUTOR – EMPATIA E VERACIDADE – RECEPTOR

Reconhecendo Borderline em Amigos e Conhecidos

Geralmente é muito difícil reconhecer uma pessoa com a personalidade borderline, apesar do vulcão interior que ela possui. Isso porque as pessoas borderline podem parecer totalmente normais e adequadas ao ambiente de trabalho, sem parecerem exageradas ou com qualquer patologia aparente.

Entretanto, o inesperado acontece e podemos ver essa pessoa que julgávamos tão "normal" tendo um ataque de ira inesperado e súbito, ou numa tentativa de suicídio, quando na noite anterior estávamos rindo com ela.

Borderline geralmente são pessoas muito misteriosas e difíceis, por causa das súbitas crises, muitas vezes o foco principal do problema é deixado de lado e a pessoa é vista como maníaca, depressiva ou ambos.

Muitos borderline que tentam o suicídio são diagnosticados como depressivos e o tratamento é feito à base de antidepressivos e psicoterapia. No entanto, a depressão deve cessar, caso ela permaneça junto a outros sintomas, já é um grande aviso para que fiquemos de olhos abertos e busquemos saber mais.

Na maioria dos casos, com diversos diagnósticos errados, há a frustração por parte do paciente e do médico que não consegue entender uma nova tentativa de suicídio ou a falta de controle sobre seu paciente.

Nina

Uma moça linda de 23 anos, foi tratada como alcoólatra. Internada numa clinica de reabilitação, ela respondeu absolutamente bem ao tratamento, parou de beber, porém iníciou outro processo de automutilação, começou a sofrer de anorexia. Foi-lhe recomendado um tratamento específico para transtorno alimentar, no qual ela novamente se recuperou com facilidade. Porém, duas semanas após ter alta, dirigindo seu carro, Nina teve uma crise de pânico, a primeira entre várias que se sucederam e deixaram Nina totalmente atordoada, sem conseguir sair de casa (agorafobia). Junto às crises de pânico, uma depressão terrível tomou conta dela.

Foi enviada para uma clínica de tratamento específico do pânico e foi só então que houve uma desconfiança do prognóstico de borderline. Descoberto o diagnóstico correto, Nina é enviada para um grupo de tratamento específico para borderline e sua melhora é extremamente notável, houve melhora no quadro geral de fobias, pânicos, depressão, compulsão às drogas e ao álcool.

No caso de Nina percebemos o quão complexo é o quadro de TPB e como é facilmente tratado como outra patologia, agravando o problema.

É importante frisar que o TPB é uma doença seríssima e não uma característica de uma pessoa mimada querendo chamar atenção. Isso não significa que o borderline não deva ser responsável pelos seus erros e faltas de limites, ele deve sim entender o problema e conseguir brecar essa falta de controle e impulsos trabalhando junto ao seu psicanalista.

Quem convive com um boderline deve estar preparado para mudanças repentinas de humor, altos e baixos e deve evitar deixar-se cair em manipulações, jogos psicológicos ou chantagens emocionais (comportamento típico do TPB).

Normalmente a pessoa que convive com o borderline acaba entrando em estresse ou até mesmo numa depressão severa, tamanha a dificuldade deste convívio. Pode ser e é extremamente cansativo, frustrante e assustador, conviver com essas pessoas, pois não sabemos nunca o que irão fazer e quando mudarão de atitude, por isso é necessário que a família e pessoas próximas se informem sobre a doença e estejam preparadas ao máximo para essa montanha russa e, se for necessário, uma terapia para lidar junto ao paciente é aconselhável.

Mudanças de humor

As mudanças de humor são repentinas e rápidas e assustam quem está ao lado do borderline.

Greta

Me conta que suas flutuações eram tão severas que em um único dia ela sentia-se eufórica e extremamente animada diversas vezes, intercalando com momentos de uma angustia sufocante:

"Teve um dia que me assustei comigo mesma, eu estava ótima, fazia planos com um namorado, riamos, conversávamos sem parar e de repente me senti estranha, perdi a forças, senti uma tristeza maior do que eu poderia imaginar e comecei a chorar compulsivamente, sem conseguir explicar--lhe o que se passava comigo".

Beto

Entrava em pânico toda vez que sua esposa, Vera, repentinamente mudava de humor da água pro vinho:

"Ela estava ali dançando e rindo, abraçando amigos, pulando de alegria, como se fosse uma criança animada, e após um minuto eu a vejo caída na mesa, chorando e dizendo que quer voltar para casa, que nada faz sentido, que tem vontade de morrer".

Impulsividade

Quando os atos de impulsividade são ligados a automutilação, os familiares e conhecidos se sentem totalmente despreparados e surpresos.

Essa impulsividade vem de qualquer fator externo que possa causar estresse e desespero, fazendo a pessoa se jogar sem limites para o álcool, drogas, sexo promíscuo, direção perigosa, compras sem limites.

Virginia

55 anos, me conta que a sua impulsividade chegou a ponto de precisar ter relações sexuais 10 vezes por dia:

"Na época eu tinha 30 e poucos anos e já havia sido diagnosticada como bipolar. A minha necessidade por sexo e tudo o que era proibido foi crescendo a cada dia, cheguei a transar com 8 homens ao mesmo tempo, pedi para que não usassem proteção, tamanha a minha necessidade de controle e autodestruição, tamanha a minha falta de limites para comigo e os outros. Ainda bem que não obedeceram. O sexo era necessário para eliminar o desespero que eu sentia e me sufocava tanto e junto a ele vinham as drogas, álcool e compras no cartão do meu ex marido. Acordar novamente numa ala psiquiátrica já era rotina para mim e acho que só resolvi me tratar mesmo, quando atropelei bêbada, uma criança de 8 anos, que por pouco não matei".

Separação e Abuso Infantil

A separação dos pais principalmente nos primeiros anos de vida da criança são muito comuns na biografia de um borderline.

Mesmo que essa separação pareça insignificante, ela pode ter efeitos cruciais e profundos.

Por exemplo, uma mãe que sofre de uma depressão pós parto e some de casa deixando a criança com uma estranha por alguns meses ou anos e depois retorna para casa como se nada tivesse acontecido pode causar futuros adultos borderline. Vale ressaltar que estamos falando aqui de um ambiente desestruturado, se imaginarmos que essa mesma mãe se ausente e deixe o filho com um pai super dedicado, a criança não terá e nem sofrerá os mesmos traumas. É importante identificar os fatores familiares e ambientais.

O que acontece é que a criança se sente sozinha e desprotegida, sensação que se repetirá quando adulta, por isso o adulto com TPB sentirá tanta raiva e ameaça em processos de separação, divórcio, morte de um parente, isso o remeterá à fase aonde se sentiu totalmente abandonado.

O Trauma do Abuso Infantil

O abuso infantil é um trauma comum na história do borderline.

Quando uma criança sofre um abuso infantil, inconscientemente sente-se culpada. Se ela culpar o adulto, se sentirá aterrorizada por depender dele e por saber que deve confiar em quem lhe faz mal, na cabeça dessa criança esse processo é extremamente doloroso e cruel.

Se, por acaso, ela não culpar esse adulto, a dor se tornará insuportável e a culpa crescerá, afinal algo tão ruim está acontecendo por causa dela e isso significa que ela é uma pessoa ruim e merecedora de sofrimento (sentimento que ressurgirá no adulto borderline.

O borderline aprende desde muito cedo na vida, que ele é uma pessoa ruim, e que ele faz com que coisas ruins aconteçam. Ele começa a esperar por punições e se elas não vêm, ele mesmo irá buscá-las, causá-las (autopunições).

Quando adultos, as automutilações podem ser uma forma dele reviver esse padrão familiar, de sentir novamente a punição tão familiar e a sensação antagônica da segurança na sensação do abuso.

Outro fator importante é o amor versus ódio sentido no abuso, afinal quem me ama pode me fazer tão mal? Quando adulto, essa pessoa sentirá alternâncias entre amor e ódio por aqueles que estão próximos. A sensação que esse adulto guardará em si é a de que apenas existe o bem ou o mal, o 8 ou o 80, o ódio ou o amor, nunca um equilíbrio, nunca um meio termo. Em alguns casos, há a repetição do abuso, com seus próprios filhos.

Quando falamos em abuso estamos nos referindo ao abuso sexual, emocional e físico. Todos esses abusos trarão sequelas. Um abuso pode ser um grito, um excesso de silêncio, uma ausência.

O Depoimento de Lilith D.

"Algumas vezes me olhava no espelho e já não me reconhecia, eram raras vezes mas acontecia e me perguntava: Quem é essa menina? Ou então me sentia invadida por uma tristeza horrível, me dominando por alguns minutos, sempre no banheiro...passava e eu ia brincar. A igreja era nossa 2ª casa, nossa 2ª família. Dentro dessa atmosfera de amor, de respeito a Deus, de leitura de historinhas bíblicas, estudo e reverência, reverência voluntária, porque amávamos aquele lugar e o Deus pregado lá. Com 5 ou 6 anos eu fui abusada sexualmente por um menino mais velho. No banheiro. Foi aí que começou embolar meu meio de campo cerebral. Só brincando com isso pra eu não ficar chorando sem parar. A confusão sexual me abatia muito pois na escola e igreja diziam pra se ter sexo só depois do casamento, mas eu já havia tido a experiência então minha cabeça era uma loucura em termos de ambiguidade de informações, não sabia pra que lado ir. Me sentia muito confusa.

Com 8 anos meus pais se separaram e meio que passou batido por mim naquela hora, no fundo eu não acreditava naquele casamento. Eram muitas brigas. Minha mãe quebrava o violão na parede de nervoso, videocassete... e até me lembro que com 5 ou 6 anos presenciei meu pai agredindo minha mãe... Ela chamava pelo meu nome: Lilith! Lilith! E eu fiquei paralisada de medo na cama, inerte... com medo, medo e medo. Talvez o medo que eu carregue até hoje".

Peço a Lilith que me defina o que é ser borderline:

"Ser borderline é ter o prazer e o desprazer de ver o mundo como realmente ele é, tanto na fantasia como na realidade. Temos acesso a essas duas portas. A porta das ideias, do subjetivo e a porta dos fatos, do objetivo... por isso sofremos tanto, porque vemos as coisas que ninguém vê e não podemos fazer muita coisa. Recolhemos-nos às nossas auto-agressões por puro desespero de estar com as mãos atadas em relação aos absurdos que acontecem nesse mundo... Somos muitos sensíveis. Só isso. Lemos automaticamente o que está escrito nas entrelinhas do texto".

Pergunto sobre internações e uso de drogas:

"Já fui internada 12 vezes, tanto por depressão, psicose e drogas... As drogas, principalmente a cocaína, me deixam com a sensação de liberdade por alguns minutos, como se eu tivesse com super-poderes... superinteligente, onipotente... livre de culpa... então... é uma tentação muito grande mas depois... fico completamente desmantelada, insegura, com medo, paranóica, se meus pais vão descobrir, se vão me por pra fora de casa, etc... e é óbvio que junto com a droga vem a promiscuidade... que deixa a gente com uma super culpa depois... porque é como não fosse eu, como se fosse outra pessoa que tivesse praticando tais atos... mas acho que é tanta pressão no dia-a-dia que eu mesma me imponho que de vez em quando explodo e faço esses escapes prejudiciais a mim mesma".

Sobre terapia, questiono se é eficaz:

"É de certa forma, mas é mais do que isso, é uma maneira de eu conhecer meus mecanismos de auto-agressão, freá-los e parar pra pensar: Não, eu não quero mais isso pra mim... Entender mecanismos de sabotagem também, como, eu mesma me colocar pra baixo, enfim, me agredir. Mas a terapia é a salvação do borderline... não sei como explicar direito, daí você vai ter que conversar com uma psicóloga pode ser a minha. Tomo remédios sim para estabilizar meu humor e controlar os impulsos e "viajar" menos. Durante oito anos fui diagnostica como bipolar e tomei os remédios errados, creio que as avaliações devam ser feitas de forma mais cuidadosa, já que temos esse rótulo, que ao menos, seja dado de forma correta! Bom... ser border é isso... é sofrer no escuro, no claro, todos os dias, e ainda fazer brincadeira com tal sofrimento. Digo, tirar um sarro com ironia do mesmo jeito que a vida tira um sarro da gente. Faço uma recriação artística da realidade, e, assim como a mesma, nua e crua não ajuda muito e só machuca. Tem uma fala de um filme que resume bem o que é ser borderline e o que eu estou vivendo nesse momento aos 29 anos perto, queira Deus, da remissão: É do filme "Garota Interrompida. Declarada sadia e enviada novamente ao mundo. Meu diagnóstico final? Uma borderline curada. Se algum dia fui louca? Talvez, ou talvez a vida é que seja, ser louca não é estar quebrada ou engolir um segredo sombrio, é ser como você ou eu: amplificado".

Amadurecendo com o transtorno

Alguns adultos borderline podem exercer muito bem um trabalho e serem até bem reconhecidos, no entanto, outros não conseguem manter 1 único trabalho, estudo ou meta durante a vida, costumam se isolar dentro de seus próprios mundos interiores.

Conforme amadurecem e se tornam mais velhos, muitos borderline apresentam melhoras significativas em suas vidas, há uma regressão na impulsividade, automutilação e a sensação de vazio crônico pode amenizar.

Isso porque mais maduro ele já não possui tanta energia para extrapolar, já não tem mais tanta necessidade de chamar atenção, já conseguiu identificar seu problema e lidar com ele de forma mais branda.

Alguns especialistas apontam a idade de 30 anos como sendo propícia à regressão da doença, porém outros já discordam, apontando a idade de aproximadamente 50 anos.

De qualquer forma, é importante frisar, que o borderline nunca irá se curar por completo, mas poderá aprender a viver sem tanto terror e vazio em sua vida.

Um bom prognóstico é quando conseguem se casar, ter filhos, um trabalho, traçar metas.

Brigit de 60 anos me diz:

"E o tempo nos ensina a saber amar e aprender a sermos amadas, somente o tempo e nada mais".

Aspectos médico-legais do Borderline

Acho de extrema importância citar os aspectos médico--legais e como lidar nesse sentido com a pessoa portadora da personalidade borderline.

O paciente borderline pode ser objeto de apreciação jurídica e legal quando a gravidade de seu transtorno de personalidade é importante o suficiente para produzir um sério transtorno psíquico de insanidade e incapacidade de autodeterminar-se.

A capacidade civil de uma pessoa deve estar condicionada à sua maturidade mental. Classicamente, Krafft-Ebing (Krafft-Ebing, Medicina legal, España Moderna Madrid, 1992.) distingue três elementos fundamentais para que a pessoa seja considerada capaz e, através dessa capacidade possa adquirir os direitos e deveres da vida em sociedade:

1. "Conhecimento e consciência" dos direitos e deveres sociais e das regras da vida em sociedade.
2. "Juízo crítico" suficiente para a aplicação do item anterior.
3. "Firmeza de vontade (volição)" para decidir com liberdade.

Conforme se vê na prática, e mesmo de acordo com o curso e evolução do Transtorno Borderline referido na literatura internacional, não se pode dizer que esses pacientes sejam considerados insanos, quer pela carência de sintomas psicóticos, quer pela carência de prejuízo do juízo crítico, ambos necessários para atestar-se a insanidade.

Entretanto, atualmente tem-se enfatizado não apenas as características psicopatológicas do paciente (réu) em apreço mas, sobretudo, uma série de circunstâncias vivenciais de alguma forma atreladas ao ato delituoso. Circunstâncias atenuantes, por exemplo, encontramos no caso da embriaguez habitual ou uso de estupefacientes. Nesses casos, a pessoa poderá inabilitar-se judicialmente, caso estejam expostos a perpetrar atos jurídicos prejudiciais a si próprio ou ao patrimônio.

Na justiça espanhola, essa questão de eventual prejuízo do patrimônio, visa a proteção econômica (e social) dos familiares do borderline. Trata-se da doutrina da semicapacidade, uma solução técnica do direito contemporâneo para atenuar os efeitos da alteração psíquica de certas pessoas em relação ao prejuízo sobre demais pessoas mas, nem sempre, atenuando a punibilidade em relação à sua própria pessoa.

Como se vê, a figura de inabilitação e semicapacidade tem menor alcance que a declaração de incapacidade por demência e, na prática, representa um recurso de proteção mais patrimonial que pessoal. Essa atitude tem como um dos objetivos, prevenir a dilapidação do patrimônio familiar pelo borderline, com frequência viciado em jogo, drogas, álcool, etc.

O direito penal se relaciona com a psiquiatria forense através do conceito de imputabilidade. Imputar significa atribuir algo a uma pessoa e esta, só será imputável, quando se encontra em condições de valorizar e ajuizar seus atos e as consequências que deles resultam. Resumindo, podemos dizer que a pessoa é imputável quando é responsável sobre a culpabilidade de seus atos.

Alguns autores (Nestor Ricardo Stingo, Maria Cristina Zazzi, Liliana Avigo, Carlos Luis Gatti) acham que a pessoa borderline pode ser inimputável nos casos onde haveria um estado de inconsciência, notadamente por intoxicação por drogas ou álcool ou, ainda, devido a alteração mórbida das faculdades mentais. Este último caso, quase exclusivamente diante da presença de sintomas psicóticos.

Evidentemente existem situações muito mais difíceis de se atestar o grau de responsabilidade da pessoa border-line. Essas se relacionam, basicamente, com os episódios de descontrole impulsivo. Nesses casos estaria em jogo não a questão psiquiátrica (de diagnóstico) mas, a questão psicológica da circunstância. O dilema dessas questões está, exatamente, no fato dessas pessoas entenderem e compreenderem a gravidade de seus atos mas, não obstante, serem incapazes de auto-controlarem suas condutas.

Entretanto, nunca devemos esquecer que as questões referentes à capacidade, incapacidade, imputabilidade e inimputabilidade são conceitos estritamente jurídicos, competem estritamente ao juiz, sendo a função da medicina apenas assessorar a justiça através de laudos e perícias.

Como Previnir o TBP em nossas Crianças?

Como posso ter certeza de quanto esperar de meu filho? Como agir para evitar futuras frustrações?

Estarei sendo muito exigente ou pouco exigente demais?

Veja algumas dicas importantes

1. **Admire** seu filho pela pessoa que é, sempre usando o diálogo para estabelecer um vínculo sincero e real.

Não minta, deixe claro como as pessoas são competitivas e nem sempre irão admirá-lo, e que isso não deve causar uma sensação de frustração nele. Dessa forma estamos prevenindo futuros adolescentes com baixa autoestima e sensações de ira ou raiva quando não são apreciados no que fazem.

É importante deixar claro a dificuldade real da vida e estabelecer limites de até que ponto é necessário sentir-se frustrado, magoado, raivoso, vingativo.

Mostre a ele que o que vale a pena não é competir, mas sentir-se orgulhoso dele mesmo, desenvolva a habilidade dele para construir bases sólidas e não destrutivas.

2. Ensine o seu filho a não criar em sua mente pensamentos opostos, como por exemplo, dois pensamentos diferentes, sendo processados ao mesmo tempo. Eliminando esse tipo de pensamento "branco e preto", ele terá menos probabilidades de divagar o tempo todo e terá a consciência da necessidade em manter o foco em cada área de sua vida. (os borderline geralmente fazem o processo de tudo ou nada, 8 ou 80, preto ou branco e dessa forma, não conseguem se focar em uma meta em particular, deixando sempre tudo para depois ou não concluindo absolutamente nada em suas vidas).

3. Dê ao seu filho a possibilidade de explorar seus talentos, não reprima vontades, ele sabe o que gosta e isso deve ser respeitado e incentivado, questione sempre suas preferências, mostre interesse, compartilhe esse interesse, deixe-o sentir-se capaz de saber o que quer e lutar por isso. (os borderline geralmente desenvolvem uma incapacidade de saber o que querem, quando iniciam uma atividade, já estão pensando em começar outra, há uma dificuldade em reconhecer em si mesmo um talento específico).

4. Saiba se reconhecer, entenda bem seus sentimentos, gostos e desejos e entenda que o seu filho pode não ter as mesmas opiniões ou metas que as suas. Não o deixe frustrado por exigir que ele faça algo que você não conseguiu alcançar, por egoísmo, você estará criando uma pessoa revoltada e sem desejos próprios.

5. Ensine o seu filho a tolerar, isso é fundamental, converse sobre os limites a serem toleráveis ou não, ouça o que ele pensa e não incentive nunca ataques de fúria e ira (os borderline possuem tolerância 0 a criticas e tem verdadeiros ataques de fúria quando contrariados).

Ter calma é importante, ensine-o a alcançar essa calma ao invés de incentivá-lo a comportamentos agressivos.

A maioria das crianças acredita que tudo é culpa delas, então é necessário desconstruir essa ideia.

Rachel Reiland, borderline e autora do livro "my recovery from borderline personality", nos explica como seu marido TIM ajudou seus filhos a se despersonalizarem do transtorno borderline: "Ele dizia aos nossos filhos – mamãe está doente. Não o tipo de doença que faz a sua garganta inflamar, mas o tipo de doença que faz a pessoa ficar muito, mas muito triste mesmo. Mamãe esteve no hospital justamente porque lá há um médico que a ajuda a parar de chorar. Mamãe não fica chateada e chora por nada que vocês tenham feito, ela chora tanto porque é doente. Aliás ela os ama tanto que vocês são um motivo para que ela se sinta mais feliz e com vontade de sorrir".

TIM repetiu isso diversas vezes e a diferença foi o alívio no olhar das crianças, que retiraram qualquer sentimento de culpa presente e se confortaram.

A realidade e a objetividade é essencial na comunicação com a criança para que ela não crie uma fantasia culposa.

Rachel diz que TIM foi a chave mestra para que os filhos não seguissem o mesmo caminho que o dela pois ele conhecia a sua doença e sabia exatamente como lidar com a situação:

"Além disso, como todo borderline, eu tenho momentos de controle e a falta total dele, mas TIM me ajudou a perceber que queira eu ou não, sou adulta e tenho duas crianças que dependem de mim e que o meu comportamento terá um impacto nelas".

Pais devem estar sempre atentos quando o cônjuge é borderline e o casal possui filhos. A falta de controle e limites poderá desencadear a violência doméstica e deixar sequelas para futuros borderline, é possível evitar isso, o diálogo é essencial, a explicação da doença para as crianças o afastamento da pessoa doente durante as crises.

Crianças não podem traçar limites por si mesmas, por isso, você deve fazer isso por elas.

Envolva a criança em atividades

1. Minimiza o contato delas com o adulto doente.
2. Aumenta sua confiança e autoestima.
3. Coloca-as em contato com outros adultos carinhosos (outras referencias).
4. Tira um pouco da sua própria pressão emocional.

Envolvimento Emocional com um Borderline

O que precisa ser aprendido

- Ter um tempo para você, seja dias, semanas ou meses;
- Aprender a não se envolver nos jogos e quebrá-los;
- Fazer o relacionamento o menos simbiótico possível;
- Ficar menos tempo com o parceiro borderline (tenha seus próprios interesses, amigos, atividades);
- Seja sincero com o parceiro e diga-lhe que ficará no relacionamento apenas se ele se comprometer a fazer uma terapia;
- Busque você também um terapeuta para conseguir lidar com a situação.

Questões que você deve se perguntar

- O que eu quero desse relacionamento?
- O que eu realmente preciso dele?
- O quão aberto eu posso ser em relação a meus sentimentos com essa pessoa?

- Estarei colocando-me em perigo estando ao lado dessa pessoa?
- Como essa decisão de namorar um borderline irá afetar meus filhos?
- Como esse relacionamento afeta minha autoestima?
- Eu estou consciente de que o borderline irá mudar apenas quando ele quiser? Aguentarei isso?
- Eu acredito ter o direito a ser feliz?
- Será que eu sou apenas valido quando me sacrifico para outros?
- Quando me sinto mais feliz: quando estou com essa pessoa, quando estou com amigos ou quando estou sozinho?
- Eu terei forças para colocar a situação perante meus conhecidos e familiares?
- Quais são as ramificações legais dessa minha decisão?
- Se um amigo estivesse no meu lugar e me contasse o seu envolvimento com um borderline, qual conselho eu daria a ele?

Bete, 32, borderline diz:

"Um relacionamento com qualquer pessoa é muito difícil para nós, não são apenas os "normais" que devem refletir sobre envolver-se conosco ou não, nós também vivemos um inferno, o medo do abandono, saber que teremos crises a qualquer momento e que a pessoa certamente se cansará de manipulações, necessidade de afeto constante, etc., mas sabe, com uma pessoa percebi que vale a pena arriscar, o amor quando sentido de forma real pelo casal ajuda muito na cura, conseguimos nos manter um pouco mais "racionais" e posso dizer que até consegui enxergar (bem distante, claro) um possível equilíbrio em mim".

O Homem dos Lobos – Freud e o TPB.

As doenças e traços de personalidade estão sendo discutidas por psicanalistas e sociólogos como fator sociocultural, o que na minha opinião, é de extrema relevância e importância.

Os casos de pacientes depressivos está aumentando consideravelmente desde os anos 70 e se levarmos em conta que 70% da população sofre desse mal, pode parecer algo assustador e de fato é.

Os casos limítrofes também são diagnosticados com maior porcentagem, vamos então refletir a dor dessas pessoas e o que a modernidade, o social, o cultural, a mídia podem provocar e desencadear nelas.

Freud relacionava dois tipos de impulsos cruciais em nossas vidas: o impulso de vida e o impulso de morte

Ambos são existentes em todos nós, mas a diferença crucial é a pulsão, ou seja, a motivação para a vida, para o crescimento, a capacidade de criar metas e segui-las, de conseguir viver numa sociedade e nela adaptar-se.

A pulsão de vida é o lado saudável do indivíduo, é isso que nos faz não cair em depressão, é o que nos proporciona movimento e movimento é o oposto de depressão que se define como um achatamento emocional, algo que segue para baixo, que é inerte, apático, imóvel.

Mas a pulsão de vida exige desafios, é natural e certo que precisamos deles para conseguir o que queremos: nossas metas. Então, junto aos sociólogos modernos e psicanalistas, como Balman, me questiono sobre a sociedade líquida em que vivemos, aonde tudo é rápido, amores são passatempos, a velocidade com que recebemos informações está disparada, a mídia nos mostra o que é bom ou ruim, como ser grandioso ou medíocre, tudo é 8 ou 80.

Pensando nisso, aonde fica nossa pulsão de vida? Se hoje eu preciso ter uma Mercedes para ser uma pessoa "da sociedade", amanhã me colocam outra informação, Mercedes já é passado!

Como podemos, então, lutar por objetivos tão rápidos e inalcançáveis?

Se não tenho estímulos para traçar minhas metas, sou um fraquejado, um nada na sociedade atual, sou um depressivo, ou até um limítrofe.

Os casos de patologia envolvendo o indivíduo limítrofe vem crescendo demais, por isso é importante pensar e repensar sempre nas questões socioculturais, no poder de manipulação da mídia e de uma sociedade muito líquida e fútil.

Até que ponto a contemporaneidade não influencia em pessoas mais doentes, depressivas, raquíticas e limítrofes?

E voltando a Freud, o pai da psicanálise, que tudo diagnosticava como "histeria", ele relata um caso que ele define como um limite entre a neurose e a psicose. Certamente ele está nos descrevendo, em outras palavras, o que hoje chamamos de distúrbio borderline. Esse caso ficou conhecido como "O Homem Dos Lobos".

Em linhas gerais, talvez possamos dizer que a principal característica da compreensão psicanalítica em relação à infância consiste no interesse de resgatar na fala dos analisados, não exatamente um fato fielmente reproduzido, mas o modo como este fato ficou gravado em seu psiquismo determinando tanto sua própria constituição como também, seu modo de relembrar o passado. A fantasia, em quanto verdade psíquica, confere ao infantil, no estatuto que se estende para além daquilo que foi visto, ouvido na infância. sendo assim, o infantil também se refere às sensações que ficaram gravadas no psiquismo dos primórdios da constituição psíquica. Os sons, os cheiros, as sensações táteis compõem as marcas mnêmicas primordiais e estende-se para além delas. O infantil não se dá a ver, mas se faz presente no discurso e no modo como analisado se põe em análise.

A infância não pode ser confundida com infantil.

A infância refere-se a um tempo da realidade histórica, já o infantil é atemporal e está remetido a conceitos com pulsão, recalque e inconsciente.

O infantil, diz do modo peculiar de tomar a infância no trabalho da análise, ou seja, como marca mnêmica recalcada referente aos primeiros anos de vida.

A fantasia, em quanto verdade psíquica, confere ao infantil, no estatuto que se estende para além daquilo que foi visto, ouvido na infância.

Sendo assim, o infantil também se refere às sensações que ficaram gravadas no psiquismo dos primórdios da constituição psíquica.

Os sons, os cheiros, as sensações táteis compõem as marcas mnêmicas primordiais e estende-se para além delas. O infantil não se dá a ver, mas se faz presente no discurso e no modo como o analisado se põe em análise. Será nesta história, também conhecida como "Homem dos Lobos", que Freud se debruçará com afinco, sobre a discussão de aspectos fundamentais da reconstrução do infantil em análise. Desse modo, sublinha o infantil que não se desfaz no adulto mas que deverá ser reconstruído.

Nesta direção, podemos pensar que em o caso "O homem dos Lobos", o infantil equivale aquilo que é traumático e que permaneceu inconsciente gerando sintomas, sonho etc.

Freud atribuirá, tal importância ao fator infantil que, afirmará ele, por si só, é suficiente para produzir a neurose.

Trata-se do mais elaborado caso clínico de Freud segundo James Strachey.

O caso é de um sujeito, um jovem russo que começa sua análise com Freud em fevereiro de 1910, após uma gonorréia. A 1ª parte do tratamento durou até 1914, quando Freud o considerou como concluído.

A publicação ocorreu quatro anos mais tarde.

Quanto à interpretação, Freud se refere várias vezes ao homem dos lobos em trabalhos anteriores e posteriores à publicação do caso.

Por um lado, em 1910, ao mesmo tempo em que começa o tratamento, Freud faz uma conferência no IIº Congresso de Psicanálise, intitulada "o futuro da terapia psicanalítica" na qual ele se interroga mais uma vez sobre o método do tratamento das resistências, levando em conta seus limites na histeria e guardando certa precaução quanto à neurose obsessiva.

Os obstáculos aos efeitos da interpretação buscada no tratamento já são uma preocupação explícita apresentada à comunidade analítica.

Por outro lado, a questão da interpretação, nesta época, está envolvida na polêmica com Jung e Adler sobre o papel da sexualidade infantil na causa das neuroses, que estes colocam em discussão.

Esse caso tem uma importância capital. Já na 1ª entrevista com o paciente (19 anos), Freud detecta a importância do fator sexual infantil e o lugar da neurose infantil na origem da neurose.

O caso possui um valor de demonstração, que Freud decide transmiti-lo para a comunidade analítica. Viveu até 1979 – sustentado pela comunidade analítica.

Em 1912, Freud se direciona aos analistas para que estes dêem a importância devida aos sonhos infantis. Podemos concluir que o motivo deste pedido reside no sonho do homem dos lobos que constitui o elemento mais relevante do caso clínico.

Freud interpreta, a partir do complexo de édipo, conjugado agora com a hipótese de que tudo é conservado no inconsciente.

Ele quer verificar se o trauma infantil é a causa originária de toda a neurose.

Interpretação e/ou a construção não são facilmente distinguíveis no uso que Freud faz nesse caso e nos seus efeitos.

Será nesta história, também conhecida como "Homem dos Lobos", que Freud se dedicará com afinco, sobre a discussão de aspectos fundamentais da reconstrução do infantil em análise. Desse modo, aponta o infantil que não se desfaz no adulto, mas que deverá ser reconstruído.

Desta forma, podemos pensar que em o caso "O homem dos Lobos", o infantil equivale ao que é traumático e que permaneceu no inconsciente.

Freud dará muita importância ao fator infantil que, afirmará ele, por si só, é suficiente para produzir um estado de neurose.

Trata-se do mais elaborado caso clínico de Freud segundo James Strachey.

Esse caso tem uma importância capital. Já na 1ª entrevista com o paciente (19 anos), Freud detecta a importância do fator sexual infantil e o lugar da neurose infantil na origem de sua neurose.

O caso é sobre um jovem cuja saúde se enfraquecera aos dezoito anos, depois de uma gonorréia infecciosa, e que se encontrava muito incapacitado e dependente de outras pessoas quando iníciou o seu tratamento com Freud, vários anos depois.

Por causa de sua doença, o paciente passou um longo período em sanatórios alemães, que foi, na época, classificada pelos mais autorizados especialistas (Ziehen de Berlim e Kraepilin de Munique), como um caso de insanidade maníaco depressivo (PMD).

Segundo Freud, a descrição do caso se tratava de uma neurose infantil que foi analisada não na época em questão, mas quinze anos após seu término:

"O paciente a que me refiro permaneceu entrincheirado por trás de uma atitude de amável apatia. Escutava, compreendia e permanecia inabordável. Sua indiscutível inteligência estava separada das forças pulsionais que governavam seu comportamento, mas poucas relações vitais que lhe restavam...". "Fui obrigado a esperar até que o seu afeiçoamento a mim se tornasse forte o suficiente para contrabalançar essa retração, e jogar um fator contra o outro. Determinei – mas não antes que houvesse indícios dignos de confiança que me levassem a julgar que chegara o momento certo – que o tratamento seria concluído numa determinada data fixa, não importando o quanto houvesse progredido".

Importante - a sintomatologia de Serguei é ampla:
— Fobias
— Obsessões
— Inibições
— Angustias
— Ambivalências.

É um caso de muito difícil diagnóstico.

Trata-se, de uma neurose que em alguns momentos apresenta traços de uma psicose.

O mal estar do paciente é apresentado neuroticamente, mas ao mesmo tempo assentam-se sobre traços psicóticos (limítrofe).

Descrição do sonho

O paciente sonhou que a janela do quarto se abria e ele via 6 ou 7 lobos brancos na nogueira à sua frente. Com imenso pavor de ser devorado, gritou e acordou.

Obs: a interpretação deste sonho foi uma tarefa que durou vários anos. A única ação no sonho era a abertura da janela. Os lobos permaneciam imóveis sobre os galhos da árvore.

Causa da angústia

Era um repúdio ao desejo de satisfação sexual a partir do pai, cuja evocação colocara o sonho na cabeça.

A forma assumida pela angústia, o medo do lobo devorá-lo, foi apenas uma transposição do desejo de copular com o pai, ou seja, de ter satisfação sexual da mesma forma que sua mãe tivera.

Seu último objetivo sexual, a atitude submissa em relação ao pai, torna-se recalcada, e em seu lugar surgiu o pavor pelo pai, na forma de fobia ao lobo.

Sua mãe ocupou o lugar do lobo castrado, que deixava os outros subirem e dominá-lo, seu pai tomou o papel do lobo que subia (copulava).

Ele identificava-se com sua mãe castrada (sem pênis), durante o sonho lutava contra o fato. Sua masculinidade protestou contra ser castrado (como a mãe) de forma a ser sexualmente satisfeito pelo pai.

Não foi apenas uma corrente sexual que se iníciou na cena infantil e primária, mas todo um conjunto delas.

Importância desta situação - Um ato de ver os pais numa relação sexual mesmo que saudável pode se transformar numa fantasia assustadora para uma criança, um castigo do pai em relação à mãe.

Freud isola dois tempos da neurose infantil

1º Desenvolvimento de uma atitude perversa e cruel com animais, com três anos e meio, que não correspondia ao comportamento anterior do sujeito.

2º Eclosão da angústia e da fobia quando o menino tinha quatro anos.

Segue-se uma intensa formação de sintomas obsessivos, incluindo rituais religiosos antes de dormir.

Freud propõe que estes dois tempos estejam separados por um evento traumático.

O depoimento de Lola C.

Lola, 33 anos, estudante de direito, um sorriso bonito de dentes brancos e salientes, pequenas covinhas no queixo e sardas miúdas pelo rosto, que contrastam com seus ruivos cabelos.

É bem evidente a forma como ela propositalmente se torna e se mostra sedutora o tempo todo, como se exagerasse em cada gesto, palavra, ação. Ela me parece um vulcão em erupção, um tanto dramática e histérica, mas com o passar da entrevista, e a real visão interior da moça, percebo um ser humano triste, carente, com uma autoestima extremamente baixa e uma dor tão infinita que ainda me pergunto de onde vem e se algum dia cessará.

Lola teve uma infância feliz, diz que adorava brincar e não tinha problema algum em se relacionar com colegas da escola. Mas ela conta que em pouco tempo a frustração se tornou prazer, pois o corpo miúdo, agora possuía curvas e seios, ela agora tinha uma cintura fina e um quadril largo e adorava a forma como os rapazes olhavam, desejando-a, era uma nova vida, cheia de possibilidades e desejos que nasciam, floresciam aos poucos, eram paixões de verão, porém todas intensas e os beijos em segredo marcavam sua alma com a descoberta inefável de poder ser mulher e sentir-se desabrochar.

Aos 14 anos, Lola estava apaixonada por um rapaz de 18, era o mais disputado da escola, porém ele se mostrou encantado por ela desde o primeiro sorriso que trocaram no pátio do colégio. Alex, que já estava no colegial, era um premio para a garota —mulher que agora exibia seu sorriso e gargalhava alto toda vez que confidenciava os beijos e apertos secretos para as amigas mais íntimas.

Numa sexta feira de agosto, marcaram um encontro. Lola conta que a rigidez dos pais era forte nessa época, então fingiu que iria estudar na casa da amiga mais próxima, aonde havia marcado o encontro com o rapaz.

O plano deu certo. Lola aproveitou para passar o batom vermelho que comprara e usou um vestido curto florido.

Estavam a sós no quarto da amiga e Alex confessou-lhe seu amor, algo que fez com que a menina-mulher se tornasse ainda mais encantada com a condição de ser adulta.

Beijaram-se e ela recorda de cada segundo, cada toque e das mãos grandes de Alex em seus cabelos. Porém, de repente o rapaz sincero, carinhoso e perfeito torna-se agressivo e tenta a todo custo tomá-la por força. Ela reage, mas ele é forte e lhe tampa a boca pequena:

"Nesse momento senti uma quebra, não pelo ato sexual, até porque consegui fugir a tempo, mas pela forma como percebi que o amor dele era falso".

Lola então, após esse episódio começa a se questionar sobre diversas coisas, afinal o amor de um homem poderia ser algo muito ruim, mas ela vai além disso, ela sente-se enojada a tal ponto que começa a sentir-se mal, com dores no corpo e sensações de falta de ar, pesadelos começam a invadir seu sono e neles um homem gigante aparece ao seu lado na cama e ela não tem como correr, acorda assustada e vomita diversas vezes após o sonho:

"A sensação que eu tinha durante o sonho era horrível, parecia real, esse homem enorme de mãos grandes deitava-se ao meu lado e eu não podia fugir senão algo muito ruim aconteceria".

Aos 15 anos é levada ao terapeuta, nessa época estava abatida e os pais desconfiavam de uma possível anorexia nervosa, pois ela mal se alimentava e perdera vários quilos em pouco tempo. Andava descuidada também, não queria mostrar o corpo e amarrava os seios com uma faixa, para parecerem menores. Contou ao médico, sem dificuldades o episódio com Alex e confidenciou que acreditava ser aquilo o estopim para seu mal estar e seus pesadelos.

Olhou com curiosidade para o terapeuta quando este a questionou:

"Consegue se lembrar de algum episódio parecido como esse, mas anterior?"

Voltou para casa agoniada, o que estaria esse médico sugerindo, afinal?

"Senti raiva dele, era como se estivesse tentando me agredir de alguma forma também, da forma como os homens começavam a fazer em minha vida"

Conseguiu convencer os pais a consultar uma médica mulher e alegou que sentia que esse médico a estava assediando.

Lola fez 3 anos de terapia e melhorou seu problema alimentar, sua auto-estima estava voltando a desejar a mulher atraente e suas roupas não mais escondiam seus contornos.

Ela tinha 17 anos, sentia-se jovem e poderosa, sem limites, feliz, finalmente novamente feliz.

Eu lhe questiono sobre o que descobriu nesse período de terapia e ela sorri dizendo que absolutamente nada, conta-me que sentia-se mais inteligente do que a médica, com uma capacidade de manipulação que começava a tomar um prazer impulsivo e incontrolável dentro dela:

"Era bom estar na frente dela e mentir, era como se eu a estivesse enganando o tempo todo e isso me dava poder".

"...porém havia em mim, e eu não sabia ainda nessa época, a vontade de fugir de um passado que eu viria a descobrir mais tarde".

Sua primeira relação sexual foi aos 17 anos e meio e com um homem casado, vinte anos mais velho do que ela:

"Eu não conseguia mais parar, a necessidade de sedução e manipulação tomaram conta de mim, eu dormia com diversos homens, sem me importar com idade, estado civil, historia de vida, nada! O importante era sentir a adrenalina do momento".

E assim Lola inicia uma vida promíscua e perigosa, com homens de todos os tipos, que a faziam experimentar drogas, algumas surras e muito controle. Mas ela justifica:

"Eles achavam que estavam no controle, mas quem estava era eu, assim pelo menos me sentia na época, se eu levava um tapa na cara dava dois de volta e não tinha medo das consequências".

Aos 18 anos foi morar com Roger, um homem separado que largara a esposa e dois filhos para morar com ela num quartinho minúsculo.

Os pais de Lola havia tempo não faziam alusão em querer entender a filha e conformavam-se dizendo que ela era uma adolescente rebelde, como todos os outros.

Roger tinha 34 anos e era usuário de cocaína, além de ser um alcoólatra:

"Pois é, o cara era da pesada mesmo, nunca vou me esquecer de um dia em particular... Coisas que ele me disse...".

Ele pede para ela se prostituir, pois estão sem dinheiro e ele quer beber, ela chora e diz não acreditar na proposta dele. Ele diz que a ama, mas que está doente e sem condições de trabalhar. Lola enfurecida avança sobre ele e lhe soca o rosto, o corpo, descontrolada vai até o pequeno armário de uma cozinha existente dentro do próprio quarto e apanha uma faca, diz que nessa hora sente o sangue subir-lhe às faces e a sensação de frieza e poder apoderaram-se dela:

"Eu vou te matar – eu disse na intenção de fazê-lo mesmo e finquei a faca ao lado dele, no sofá, ouvindo seu grito de medo e rindo alto de prazer".

Roger chora enquanto ela ri e diz que vai embora pra nunca mais voltar. E vai...:

"Nessa hora, a sensação mudou, de predadora, virei acuada, a frieza passou em segundos e uma sensação de culpa e humilhação se apossaram de mim, cai ao chão e chorei, berrei, arranhei meu corpo com minhas unhas e foi nesse dia que me automutilei pela primeira vez".

Lola apanha a faca fincava no sofá e tem uma vontade inexorável de sentir uma dor externa que consiga amenizar a interna, ela então estica a perna direita e corta-se várias vezes, sentindo o prazer da dor e do sangue:

"Naquele momento o que eu não conseguia admitir era o abandono de Roger, seja ele quem fosse, ele não poderia me abandonar, isso não".

E esse medo do abandono tornou-se parte de Lola, uma parte dela intrínseca e cansativa, pois mesmo quando o homem se mostrava apaixonado, ela gritava e esperneava por mais carinho, queria atenção, queria toda a atenção do mundo, uma atenção impossível de ser dada, queria o incondicional:

"Eu afastava todos eles com essa minha atitude. Às vezes era só ele ligar a televisão para eu me sentir minúscula e acusá-lo de não estar me dando atenção. E se ele permanecesse frio e inativo, eu pulava em cima, ou quebrava a casa toda, e novamente mais um homem partia e eu me mutilava".

Outra sensação que ela descreve ter sentido com prazer era a de pegar o carro e correr a mais de 100 km por hora, desafiando a própria vida, uma sensação de alívio surgia quando o vento batia em seu rosto, ou mesmo quando pensava no perigo no qual estava se colocando propositalmente:

"Era bom, muito bom mesmo não sentir medo de nada".

Começou a sentir momentos de depressão e ansiedade aguda, nesse início da vida adulta, que se contrapunham a momentos de intensa alegria, fator que fez com que fosse diagnosticada erradamente com o distúrbio bipolar de humor:

"Isso acontece muito, nós borders, temos essas oscilações de humor, mas há muita diferença entre os dois transtornos e o maior erro médico é a falta de informação, tomei remédios errados que só me causaram efeitos colaterais".

O envolvimento com sexo, drogas, mutilações seguiram perseguindo a vida de Lola, até o momento em que ela tenta o primeiro suicídio aos 22 anos de idade.

O ato se dá após a partida de um namorado que estava com ela há 3 meses ("tempo longo para um border"- ela me diz).

Gustavo era um homem de 36 anos, inteligente, bem sucedido e com reais boas intenções. Tentou entender todo o processo da doença, conversou com terapeutas, porém nessa época todos explicavam a ele os sintomas de ser "bipolar". De qualquer forma, ele sabia que estava morando com uma pessoa doente e decidiu ajudá-la:

"Ele percebia em mim a necessidade constante e aflita de carinho o tempo todo e me proporcionava isso, sem questionar. Conversávamos por horas, fazíamos amor e ríamos, acho que eu consegui melhorar muito ao lado dele".

Gustavo conseguiu suportar esses meses com muito tato, mas desespero. Os cônjuges de pessoas com o TBP me relatam que é a tarefa mais difícil do mundo estar num relacionamento com pessoas que sofrem deste mal, sentem-se sugados, manipulados, cansados e alguns chegam a desenvolver sinais de depressão. A pressão é muito forte, pois são cobrados o tempo todo a dar um amor inexistente, incondicional.

Ouvi de um terapeuta muito renomado, a seguinte afirmação:

"São manipuladores demais, às vezes me sinto tão cansado, acho que consegui um progresso em algum caso, mas no dia seguinte essa pessoa já está tentando se matar, quando apenas 24 horas atrás dizia-se feliz e bem melhor".

Voltando ao caso da Lola C., Gustavo que era dedicado e atencioso, se cansou, sentia-se esgotado, comparando-a a um vampiro emocional... e começou a não mais suportar a pressão. E foi embora:

"Quando eu ouvi a porta se fechar, senti que iria morrer, senti uma mistura de ódio e amor, mas o que mais doía era a raiva que sentia de mim mesma, uma sensação de culpa inexplicável, como se eu fosse a causadora de todos os abandonos que sofri e na verdade eu era mesmo. Morri por dentro, a dor foi insuportável, corri e peguei a gilete, me cortei nas pernas, braços, barriga, a dor externa aliviou um pouco, mas não era o bastante, eu precisava ser mais castigada por ser essa pessoa tão desprezível e medonha. Então corri para caixa de remédios e tomei todos de uma vez, uma mistura de ansiolíticos, antidepressivos e álcool. Acordei no hospital pois por sorte ou por azar, minha mãe foi avisada por Gustavo que eu poderia fazer besteira".

E ela prossegue:

"Deixa eu tentar explicar melhor. Nós tentamos nos matar o tempo todo, mas é diferente de um outro suicida, por ex: nós tentamos porque precisamos que alguém sinta algo por nós senão não aguentamos, mesmo que seja pena, ódio, alguém precisa nos notar.

É diferente de quando me corto, aí sim estou querendo extravasar uma dor horrível, um vazio... alivia, alivia muito!

Tudo isso porque a pessoa se torna o centro de nossa vida, a gente tenta preencher essa carência maluca no outro, sem o outro não vivemos, minha terapeuta me explicou que é porque o border não se reconhece como pessoa, há uma quebra em nossa personalidade que nos torna seres sem destino, sem razões, sem opções.

O medo do abandono é porque sozinhas não nos aguentamos, ser frustrada por um namorado é a morte para um border."

E então Lola seguiu sua vida em diversas tentativas de suicídio e internações, conta-me que foram 10 ao total.

Lola me conta muita coisa e tudo me parece muito doloroso, consigo perceber uma sinceridade no que ela conta, regada a tristeza, cicatrizes e baixa autoestima.

Seguem vários comportamentos que Lola me confidenciou ter tido e que acho importantes na caracterização da patologia dela:

"Eis uma lista que posso dizer que é o mais comum que já fiz ou que me pego fazendo:

– Esmurrar parede;

– Enforcar por alguns instantes- quando pequena, eu fiz isso;

– Morder as próprias mãos, lábios, língua, ou braços;

– Apertar ou reabrir feridas (Dermatotilexomania);

– Furar com agulhas;

– Roer unhas até sair sangue MESMO;

– Beliscar, incluindo com roupas e clips para papel.

Acrescentando-se depois de iniciar o tratamento

Queimar-se, envenenar-se, medicar-se (por exemplo, exagerar na dose de remédios e/ou álcool), sem intenção de suicídio:

"Hoje sou mais sofisticada... Só na lâmina novinha e afiada... e no braço esquerdo que é todo marcado. Estou toda marcada, são tatuagens de dor expostas em mim, cada uma simboliza um grito, um medo, um vazio. A terapia, aos poucos, está fazendo efeito. Só está difícil trabalhar a automutilação. Mas alguma coisa tem que acontecer. Tomo, ultimamente, fluoxetina, quetiapina, lamotrigina, topiramato, rivotril e, claro, omeprazol pra aguentar o tranco disso tudo".

Resolvo então entrar num campo muito difícil para Lola, mas que será necessário para juntarmos todas as peças em nossa entrevista. Pergunto-lhe sobre o terapeuta que ela citou no início de nossa conversa, aquele primeiro que questionou uma possível situação traumática num passado mais longínquo do que ela pudesse recordar.

Ela sorri desconfortável e me diz que sabia que chegaríamos a isso. Faz uma pausa constrangedora e me conta que apenas aos 28 anos de idade descobriu o que realmente aconteceu em seu passado, durante sessões de terapia, quando o real diagnóstico foi dado (aos 26 anos).

Durante essas sessões ela conta ao médico sobre os sonhos que já citamos o homem de mãos grandes, o medo, o desespero. E um dia ela se lembra de tudo, numa vivência no consultório, durante um psicodrama:

"Lembrar do abuso foi estranho, paralisei, percebi que minha mente havia parado e me feito esquecer tudo aquilo para me proteger e por incrível que pareça, descobrir o que me deixou dessa forma, me deu forças para entender melhor a minha doença e lutar contra ela. O abuso sexual começou aos quatro anos de idade, ele era meu pai, a pessoa que eu amava e confiava, quando senti os dedos dele entre as minhas coxas pela primeira vez, senti vontade de chamar pela minha mãe, mas fiquei quieta, afinal deve-se obedecer a um pai. E eu obedecia ao meu! Lembro-me da primeira ida mal intencionada dele ao meu quarto, ele fechou a porta, sorriu, e me fitou carinhosamente".

"Sua mãe está dormindo, não faça barulho".

Por que eu faria barulho?

"Ele se aproximou e tocou meus pés, massageando-os, depois foi subindo e prosseguiu a massagear minhas coxas e pernas, lembro-me bem da camisola de Minie que eu usava, hoje penso no contraste dessa cena! Quando me tocou lá... eu senti medo, confusão, mas ele era meu pai.

Os encontros prosseguiram e aos oito anos senti a dor física de estar sendo penetrada, algo dentro de mim arrebentou, o sangue jorrou, e minha infância se quebrou também. Não sei como aguentei calada, mas sei que a dor permaneceu por dias, sentia febre e disse a minha mãe que não queria ir ao médico, de alguma forma eu lutei e sobrevivi, porém me esqueci para vir a relembrar vinte anos depois. Meu pai era o catador de conchas, o estuprador, o pedófilo, quanta contradição!!"

E cansada, Lola prossegue:

"Se você me perguntar as características de viver no limite eu lhe respondo da seguinte forma: Ninguém gosta de vandalizar, pode ter certeza! Se a pessoa está exagerando é porque ela precisa se mostrar, porque ela é carente demais, ela não tem limite e significado na vida.

Sinto-me uma moribunda e agora não quero mais falar mesmo!"

Pausa:

"Eu volto porque preciso colocar pra fora essa merda... Mas não sei até que ponto você está me julgando ou me desprezando e se há algo que não suporto é o desprezo e a "simpatia" de pessoas que se sentem superiores, não estou dizendo que é seu caso.

Vou contar sobre um dia marcante...Uma amiga minha tava dando uma de esperta em cima do meu ex namorado. Enquanto ele dizia que ela era feia, estúpida, etc.. eu me sentia segura. Mas quando entrei naquele quarto e peguei os dois, quis morrer de tanto ódio... espanquei a menina e chutei meu namorado que tentava apaziguar... saí de lá correndo, a sensação do abandono é a pior do mundo e para um borderline, multiplica por 10! Não conseguimos lidar com rejeição, abandono, criticas...

Mas há outro lado, depois que sentimos a dor do desprezo, temos um mecanismo de defesa aonde a pessoa que nos causou dor passa a ser um nada, apagamos friamente ela de nossas vidas e não há mais dor.

Somos essa mistura rara de dor extrema e frieza! Acho que não amamos ninguém e muito menos a nós próprios.

Tenho a nítida sensação de que eu nunca irei melhorar, e dizem que aos 30 anos o borderline começa a remissão da doença, então quem sabe... comigo será aos 40?

(Usa um tom sarcástico).

Mas acho difícil, eu já estou cheia de cortes, drogas, sexo promíscuo e esse vazio que insiste em não passar. A medicação que tomei certa vez, certamente foi errada, pois achavam que eu era bipolar, os borders não têm um diagnóstico muito "preciso", os terapeutas me tacaram lítio na veia e eu só piorei...

Por isso prefiro a maconha e a cocaína, qual a diferença? Olha, uma coisa posso te dizer: o nosso poder de manipulação é o maior do mundo, somos psicopatas por alguns segundos e logo em seguida somos os seres mais sensíveis da face da terra. A pior sensação é não saber quem somos ao certo, o que queremos de nossas vidas, tudo é inconstante e exageramos no sexo, drogas e automutilações justamente para colocar pra fora a droga de vida que carregamos em nós. Sei lá, acho que agora cansei mesmo, tchau!"

Retorna:

"Como é horrível não saber me controlar. Na hora do nervoso eu fico cega, o primeiro objeto que eu vejo na frente eu taco em cima da pessoa e não penso em consequências. Objetos de vidro na minha casa nem existem mais, é melhor não ter. Quando as pessoas me contrariam ou desprezam dá vontade de matá-las, torcer o pescoço, ir pra cima!!!

Como não posso fazer isso eu começo a bater em mim mesma, belisco minha cara, me debato na parede, puxo o meu próprio cabelo. Mordo a minha própria mão, até sair sangue. Olha, esse negócio de borderline ta me matando...O pior de tudo é o olhar sinistro da pessoa que a gente acabou de "agredir", se eles soubessem que após a fúria vem sempre a culpa, uma culpa imensa, que nos deixa de cama.

Queria voltar no tempo e poder ser criança em outra família, ter tido outra história de vida, uma aonde não existisse a quebra que sofri na alma, na mente, no espírito, sabe, quando alguém pega o teu corpo e faz dele o que quiser, a gente se quebra em duas, nos partimos mesmo, como se fôssemos uma laranja cortada ao meio, há um lado que quer insistir em prosseguir, mas há outro que insiste na autodestruição.

Dizem que o border ama e odeia ao mesmo tempo, dizem que somos pessoas sem moral, anti-sociais, alguns até dizem que somos psicopatas. Acho que o verdadeiro psicopata é aquele que tira da criança a possibilidade de crescer dignamente. Nós somos o fruto desses seres, o que resta desses atos hediondos, somos a continuação do que eles fazem, não conseguimos esquecer a dor, o vazio, o medo, a "interrupção".

Sabe, deixa eu tentar explicar, a falta de limites vem e fica na gente, é como se não tivéssemos nada a perder, então transamos sem camisinha, somos vitimas constantes de surras e espancamentos, mas permitimos isso, somos pessoas que sofrem no mais alto grau de intensidade e alguns segundos depois somos geladas e frias, como se a dor fosse tanta que até paralisa por alguns instantes, nos deixando imunes a tudo.

A nossa carência é enorme, odeio admitir isso, mas é verdade. Um border é capaz de ficar com uma pessoa perigosa só para não estar sozinho. O mais louco é isso! Estar sozinho é como não saber quem somos, então o outro se torna o nosso espelho, entende? Através das outras pessoas, nós vamos nos situando no mundo, então imagina só o medo de perder essa pessoa...é como se fossemos nos perder, a nós mesmos.

Já tentei me matar por causa de abandonos e dois dias depois estava com outra pessoa, me sentindo "completa" de novo, a dor do abandono não é porque amamos a pessoa, é porque não conseguimos ficar sozinhas, nunca!

Temos também a sensação de não saber o que queremos na vida, quando eu vejo alguém se formar e cursar 5 anos de faculdade eu falo, uau, como conseguiu? Como essa pessoa consegue escolher e traçar metas? Essa vida 'certinha´, casa, comida e filhos não é pra gente não, não damos conta de nós mesmos, como daremos de filhos? Melhor nem tê-los.

Costumamos, às vezes, nos empolgar com algum estudo e parece que enfim descobrimos algo que nos encaixe e complete, mas depois de 1 mês ou menos aquilo parece enfadonho demais e buscamos outras coisas, outros cursos mas não terminamos nada, eu pelo menos, nunca consegui.

Certa vez, sai chutando os carros na rua, pois um ex namorado havia terminado comigo, um policial me parou e me segurou pelas mãos, depois fui levada à delegacia e tive que explicar, explicar, explicar algo que não tem explicação...

Se eu pudesse fazer as pessoas entenderem, mas já desisti disso... Pareço revoltada, né? Pois é, eu sou mesmo, mas amanhã, tenha certeza de que estarei chorando, culpada por ter dito ou feito algo de errado nessa entrevista. E se eu sentir que você, de alguma forma, irá me desprezar por eu estar "mostrando a cara", eu ficarei algum tempo em choro compulsivo e depois nem lembrarei da sua cara.

É isso aí... Que cansaço!"

Eu abraço Lola e sinto um leve recuo por parte dela, mas logo após ela se entrega ao carinho e me abraça de volta.

Digo a ela: "Obrigada,Lola..."

E sigo adiante imaginando se ela estará de alguma forma me odiando...

Ela grita: "Ei, já imaginou que posso ter mentido tudo isso pra você?"

E eu respondo: "E mentiu?"

Ela me olha triste e responde: "Infelizmente,não!"

Podemos perceber que Lola possui os sintomas principais de nosso quadro de estudo:

Critérios Diagnósticos para F 60.31 – 301.83 Transtorno da Personalidade Borderline

Um padrão invasivo de instabilidade dos relacionamentos interpessoais, auto-imagem e afetos e acentuada impulsividade, que começa no início da idade adulta e está presente em uma variedade de contextos, como indicado por cinco (ou mais) dos seguintes critérios:

1) Esforços frenéticos para evitar um abandono real ou imaginário.
2) Um padrão de relacionamentos interpessoais instáveis e intensos, caracterizado pela alternância entre extremos de idealização e desvalorização.
3) Perturbação da identidade: instabilidade acentuada e resistente da auto-imagem ou do sentimento de self.

4) Impulsividade em pelo menos duas áreas potencialmente prejudiciais à própria pessoa (por ex., gastos financeiros, sexo, abuso de substâncias, direção imprudente, comer compulsivamente).

5) Recorrência de comportamento, gestos ou ameaças.

6) Instabilidade afetiva devido a uma acentuada reatividade do humor (por ex., episódios de intensa disforia, irritabilidade ou ansiedade geralmente durando algumas horas e apenas raramente mais de alguns dias).

7) Sentimentos crônicos de vazio.

8) Raiva inadequada e intensa ou dificuldade em controlar a raiva (por ex., demonstrações frequentes de irritação, raiva constante, lutas corporais recorrentes).

9) Ideação paranóide transitória e relacionada ao estresse ou severos sintomas dissociativos.

Medicação para Controle da Doença
Anticonvulsivantes/Estabilizadores do Humor

Atualmente tem-se mostrado bastante eficientes como coadjuvantes no tratamento psicoterápico destes pacientes, as medicações com baixo efeito anticonvulsivante e grande ação na estabilização do estado de humor, que é uma das maiores características destes pacientes.

São medicamentos que, se usados com critério e cautela, podem trazer muitos benefícios na evolução positiva do tratamento do distúrbio de personalidade. Também é muito eficiente para o tratamento da agressividade e impulsividade.

Lítio:

O Carbonato de Lítio, muito usado em pacientes com histórico maníaco depressivo é um grande aliado também para pacientes borderline que manifestam depressões severas e mudanças de humor constantes.

Seu grande problema está nas inter-ocorrências que podem advir do efeito tóxico que habitualmente ocorre quando a dosagem não é adequada, uma vez que, para cada pessoa, a quantidade de comprimidos que devem ser ingeridos podem ter uma maior ou menor absorção no organismo e apenas a dosagem sanguínea constante pode determinar o exato nível terapêutico do sal.

Neurolepticos (Antipsicoticos)

Esse tipo de medicação é usado para o alívio das crises psicóticas, controle de crises paranóicas e sensação de despersonalização.

Mas também é eficiente para pacientes não psicóticos ajudando em reações impulsivas, raivas e ataques de fúria, sendo que alguns deles podem trazer alívio também na angústia. Muitas vezes são usadas junto ao antidepressivo em pacientes borderline e há uma boa redução da depressão.

Antidepressivos:

Depressões são as principais comorbidades do transtorno borderline. No entanto, alguns pacientes borderline pioram com o uso de antidepressivos, pois, a questão principal é a oscilação do humor, ocorrendo ciclagem rápida de um estado depressivo para o exaltado (maníaco) e vice-versa.

Referências Bibliográficas

American Psychiatric Association – Manual de Diagnóstico e Estatística de Distúrbios Mentais. Editora Manole Ltda. pg. 369/370.

American Psychiatric Association – Manual de Diagnóstico e Estatístico de Distúrbios Mentais 4°ed. Edit. Artes Médicas, 1995 pg. 617

Cukier, Rosa – Como sobrevivem emocionalmente os seres humanos? Revista Brasileira de Psicodrama, vol.3, 1995 pg. 59-77.

Cukier, Rosa – Psicodrama Bipessoal – Sua técnica, seu paciente e seu terapeuta, Editora Ágora, 1992.

Erikson, Erik – Identidade, Juventude e Crise, Zahar Editores, 1968.

Falivene, Luis R. Alves - "Jogo: Imaginário autorizado e exteriorizado" in "O jogo no Psicodrama" Júlia Mota, Ed Ágora, 1995 pg. 45/56

Herman, J. L. – Trauma and Recovery, Basic Books, NY, 1992

Kreisman, J. Jerold and Strauss, H.- I hate you don't live me – Understanding the Borderline Personality, Avon Books, N.Y.,1989.

Kroll, Jerome – PTSD/ Borderlines in Therapy: finding the balance W. W. Norton and Company Inc. 1993.

Lineham, M. Marsha- Cognitive Behavioral Treatment of Borderline Personality Disorder, Guilford Press, 1993.

Mahler, M. – O Nascimento Psicológico Humano, Zahar Edit., 1977.

Miller, Alice – O drama da criança bem dotada, Edit. Summus, 1986.

Millon, T. – On the genesis and prevalence of the borderline personality disorder: A social learning thesis, 1987, Journal of Personality Disorders 1 pg.354/372 (Citado por Marsha).

Jerold Kreisman Lineham, 1993). I hate, don´t leave me.

Alvarez, Anna – Psicoterapia Psicanalítica com crianças autistas, borderlines, carentes e maltratadas.

Painceira, A. J. (1997). Análise estrutural da patologia fronteiriça. In J. Outeiral & S. Abadi (orgs.), Donald Winnicott na América Latina: Teoria e clínica psicanalítica. Rio de Janeiro: Revinter.

Armony, N. – "Borderline, uma outra normalidade". Rio de Janeiro, Editora Revinter,1998.

Freud, S. – Moral Sexual Civilizada e Doença Nervosa Moderna; O Mal Estar na Civilização - in.

"Sobrevivência Emocional: as dores da infância revividas no drama adulto" de Rosa Cukier.

Outros livros da mesma autora...

HADES
HOMENS QUE AMAM DEMAIS
TATY ADES
2ª Edição

Sala de espera
Taty Ades

Outros livros da mesma autora...

ESCRAVAS DE EROS

COMO REERGUER SUA AUTOESTIMA
E SE LIBERTAR DE HOMENS COMPLICADOS

2ª Edição

Taty Ades